CYFROLAU CENEDL 7
Golygydd y gyfres: Dafydd Glyn Jones

DRAMÂU W. J. GRUFFYDD

Beddau'r Proffwydi a *Dyrchafiad Arall i Gymro*

Brodor o Fethel, Plwy Llanddeiniolen, Arfon oedd William John Gruffydd (1881-1954). O Ysgol Ramadeg Caernarfon aeth i Goleg Iesu, Rhydychen, gan raddio mewn Saesneg. Cyn bod yn ugain oed yr oedd yn gyd-awdur gydag R. Silyn Roberts ar y gyfrol *Telynegion* (1900), a welwyd fel blaenffrwyth y deffroad rhamantaidd mewn barddoniaeth Gymraeg ar droad yr ugeinfed ganrif. Dilynodd ei gyfrolau ef ei hun, *Caneuon a Cherddi* (1906) ac *Ynys yr Hud a Chaneuon Eraill* (1923), sy'n cynnwys rhai o gerddi gorau a mwyaf adnabyddus y ganrif – 'Gwladys Rhys', 'Ywen Llanddeiniolen', 'Y Tlawd Hwn', 'Cerdd yr Hen Chwarelwr' &c. Ef hefyd a olygodd y detholiad safonol ac adnabyddus *Y Flodeugerdd Gymraeg* (1931). Wedi cyfnod byr yn athro ysgol, penodwyd ef yn Ddarlithydd yn yr Adran Gelteg, fel y gelwid hi bryd hynny, yng Ngholeg Prifathrofaol Deheudir Cymru a Mynwy (Coleg Caerdydd), a'i ddyrchafu yn Athro'r pwnc ar ei ddychweliad o'r gwaith peryglus o bysgota ffrwydron yn y môr yn ystod y Rhyfel Byd Cyntaf. Prif faes ei ymchwil academaidd fu ffurf a datblygiad ceinciau'r Mabinogi, a chyhoeddodd rai o'i gasgliadau yn y cyfrolau *Math Vab Mathonwy* (1928) a *Rhiannon* (1953). Maes arall y treiddiodd yn ddwfn iddo oedd llenyddiaeth Gymraeg y bedwaredd ganrif ar bymtheg, a thebyg mai ef yw'r dehonglydd gorau erioed ar awduron fel Eben Fardd, Dewi Wyn ac Islwyn ac ar werthoedd ac ysgogiadau Cymru Oes Victoria. Mae ei *Gofiant* i Owen Morgan Edwards (1937) yn gampwaith yn ei ddosbarth, a'i *Hen Atgofion* (1936) yn glasur o hunangofiant. Ym 1922 sylfaenodd gylchgrawn *Y Llenor*, a'i olygu hyd 1951. Am ran helaethaf y cyfnod hwn rhaid ei gyfrif y cylchgrawn llenyddol Cymraeg gorau erioed, llwyfan i efrydiau Gruffydd ei hun ac i waith cenhedlaeth eithriadol ddawnus o ysgrifenwyr. Bu ei 'Nodiadau'r Golygydd' o 1926 ymlaen yn sylwadaeth ddeifiol ar ddiwylliant ac ar fywyd Cymru'n gyffredinol. Wedi bod yn feirniadol iawn o'r Eisteddfod Genedlaethol, trodd ei egnïon i geisio'i diwygio a'i chryfhau. Daeth yn Llywydd y Llys, a'i waith ef yw cyfansoddiad yr Eisteddfod fel yr ydym ni'n ei hadnabod, a'r Rheol Gymraeg. Wedi bod am gyfnod yn aelod o'r Blaid Genedlaethol, safodd fel Rhyddfrydwr yn isetholiad Prifysgol Cymru ym 1943, gan ennill y sedd yn gyfforddus a'i dal hyd nes diddymwyd seddau'r prifysgolion ym 1950. Cynnyrch cyfnod byr, 1913-14, yw ei ddwy ddrama sydd yn y gyfrol hon, ond dychwelodd at fyd y ddrama yn weddol hwyr yn ei yrfa gyda'i drosiadau campus o *Antigone* (Soffocles) a'r *Brenin Llŷr* (Shakespeare).

Mae DAFYDD GLYN JONES yn gyn-Ddarllenydd yn y Gymraeg, Prifysgol Cymru, Bangor.

Cast cynhyrchiad cyntaf *Beddau'r Proffwydi*, Caerdydd, 1913, gyda'r awdur, W. J. Gruffydd yn eistedd yn y canol. Drwy gydweithrediad Gwasg Gomer.

Cast *Beddau'r Proffwydi*, Cwmni'r Ddraig Goch, Caernarfon, 1915. Drwy ganiatâd Gwasanaeth Archifau Gwynedd.

Cyfrolau Cenedl 7

Dramâu W. J. Gruffydd

Beddau'r Proffwydi
a
Dyrchafiad Arall i Gymro

Golygwyd gan

DAFYDD GLYN JONES

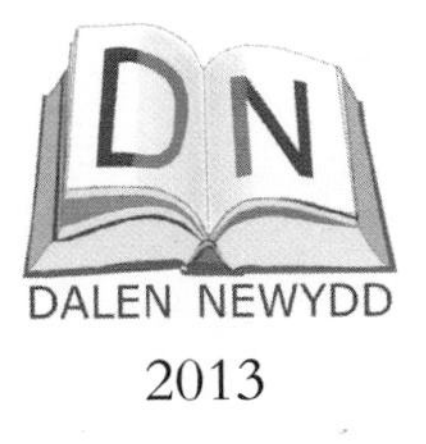

2013

Argraffiad cyntaf – 2013

Rhif llyfr cydwladol (ISBN) 978-0-9566516-9-3

Cydnabyddir yn ddiolchgar gymorth Cyngor Llyfrau Cymru
tuag at gyhoeddi'r gyfrol hon.

Cynllunio gan Nereus,
Tanyfron, 105 Stryd Fawr, Y Bala, Gwynedd, LL23 7AE.
e-bost: dylannereus@btinternet.com

Cyhoeddwyd gan Dalen Newydd,
3 Trem y Fenai, Bangor, Gwynedd, LL57 2HF.
e-bost: dalennewydd@yahoo.com

Argraffwyd a rhwymwyd gan Argraffwyr Cambrian,
Llanbadarn Fawr, Aberystwyth, Ceredigion, SY23 3TN

Rhagair

Cyhoeddwyd yn y gyfres hon *Canu Twm o'r Nant* yn 2010 ar ddau ganmlwyddiant marw'r bardd, a chyhoeddwyd gwaith Emrys ap Iwan, *Breuddwyd Pabydd wrth ei Ewyllys,* yn 2012 am mai dyna flwyddyn y breuddwyd. Eleni mae'n ganmlwyddiant y ddrama *Beddau'r Proffwydi*, a dyma'i dwyn i'r golau eto gyda drama arall o waith yr awdur. Cyndyn fu'r llyfrwerthwyr y ddau dro o'r blaen i ddal ar gyfleon fel hyn, ond dyma gynnig arall. Ymlaen yr â 'Cyfrolau Cenedl', er bod yn rhaid heddiw ofyn yn amlach ac yn fwy difrifol, yn enwedig yng ngoleuni'r ystadegau iaith diweddar, a oes cenedl o gwbl.

Diolch unwaith eto i'm mab, Gethin, am ei waith cysodi, i'n cynllunydd, ein hargraffwyr a swyddogion Cyngor Llyfrau Cymru am bob cydweithrediad; a diolch i Dafydd Guto Ifan am ddwyn i'm sylw ddogfennau pwysig.

Chwefror 2013 D.G.J.

Cynnwys

Rhagymadrodd

Gan gofio y gall rhywbeth fod yn 'nodedig' am fwy nag un rheswm, a heb i'r rheini i gyd fod yn rhesymau da, tybed faint ohonom a fyddai'n cytuno, ganmlwydd ar ôl ei hymddangosiad, â'r gosodiad mai '*Beddau'r Proffwydi* yw'r fwyaf nodedig o'r hen ddramâu Cymraeg'? Siawns na allwn gytuno mai ystyr 'yr hen ddramâu' yn y cyswllt hwn yw dramâu'r mudiad amatur Cymraeg a ymddangosodd yn sydyn yn ystod ail hanner y 1880au, gan fwynhau llewyrch a phoblogrwydd mawr hyd drothwy'r Ail Ryfel Byd, a goroesi wedyn nes ei daro'n galed gan ddyfodiad y teledu yn niwedd y 1950au. Un elfen yn arbenigrwydd *Beddau'r Proffwydi* yw mai hi, neu felly yr honnid, oedd y ddrama Gymraeg gyntaf i'w hactio mewn theatr. Digwyddodd hynny yn y Chwaraedy Brenhinol, y Theatre Royal, Caerdydd, ar 12 a 13 Mawrth, 1913. Dyma leoliad braidd yn wahanol i'r festrïoedd capel, yr ystafelloedd ysgol, y neuaddau pentref a'r sefydliadau gweithwyr a fuasai tan hynny, ac yn wir a barhaodd wedi hynny, yn gartrefi i Theatr Genedlaethol Gymraeg.

Canys dyna ydoedd. 'Y Ddrama Genedlaethol Gymreig', 'The Welsh National Drama' medd ysgrif ar ôl ysgrif ym mhapurau a chylchgronau'r cyfnod, yn croesawu dyfodiad y ddrama a hefyd yn dymuno gweld datblygiad ynddi, ac ymgyrraedd at bethau uwch. Gelwid am 'ddrama deilwng i Gymru', a'r un pryd ar i Gymru fod 'yn deilwng o'r ddrama'. Y rhagdybiaeth oedd bod y ddrama hon yn fwy nag adloniant, ac yn fwy na llenyddiaeth. Hollol gywir y pwysleisia'r Athro Ioan Williams yn ei lyfr *Y Mudiad Drama yng Nghymru 1880-1940* mai ffenomen gymdeithasol, ddiwylliannol sydd yma, cyfrwng dealltwriaeth cenedl ohoni ei hun, ac mewn rhyw ystyr un o gyfryngau ei pharhad hefyd. Mynnid bod y ddrama yn codi o ysbryd cenedl, yn fynegiant ohono, ac ar yr un pryd yn rhan o'i adeiladaeth, yn cynnig gwersi ac arweiniad perthnasol i fywyd y genedl. Gall rhai ohonom gofio fel yr oedd noson o ddrama, mor ddiweddar â chanol yr ugeinfed ganrif, yn rhyw fath o achlysur gwladgarol, gydag anerchiad addas – fel rheol, siars i ddal ati a mawrygu'n diwylliant – gan lywydd y noson rhwng dwy act, a chanu 'Hen Wlad fy Nhadau' ar y diwedd. Fel y dangoswyd ac y pwysleisiwyd ddigon cyn hyn, yr oedd mudiad y ddrama yn fudiad trwyadl werinol, wedi codi yn y capeli ac mewn cymdogaethau gwledig, trefol a diwydiannol drwy hyd a lled Cymru, gyda llawer yn cyfranogi ynddo a chynulleidfaoedd mawr yn ei werthfawrogi. 'Mae'r hen Fari'n dal i fynd,' meddai E. Arthur Morris wrth i'w ddrama *Mari'r Forwyn* gyrraedd ei phum canfed perfformiad gan un cwmni yn unig!

Ie'r 'hen Fari'. A chyda hi *Arthur Wyn yr Hafod, Cyfoeth ynteu Cymeriad?, Trech Gwlad nag Arglwydd, Endaf y Gwladgarwr, Helynt Hen Aelwyd, Trem yn Ôl, Tywydd Mawr, Troion yr Yrfa, Gloewach Nen, Yr Unig Fab, Eluned Gwyn Owen neu Yr Eneth Goll, Y Ferch o Gefn Ydfa, Llanbrynmair, Ephraim Harris, Castell Martin, Asgre Lân, Ar y Groesffordd, Y Ddraenen Wen, John a Jâms, Marchogion y Nos, Llwybrau Anrhydedd, Pobl yr Ymylon, Yr Anfarwol Ifan Harris* ... a llawer eraill. Dramâu Cymraeg oedd y rhan helaethaf o bell ffordd, ond daeth un awdur Saesneg i'w gysylltu'n annatod â'r mudiad; J.O.Francis oedd hwnnw, a'i ddramâu *Deufor Gyfarfod, Gwyntoedd Croesion, Y Bobl Fach Ddu* a *Ffordd yr Holl Ddaear* yn dod yn gymeradwy iawn yn eu cyfieithiadau Cymraeg. Os deil eraill i deimlo – ac mi gredaf fod rhai fel finnau wedi teimlo hynny dros y blynyddoedd – fod *Beddau'r Proffwydi*'n sefyll allan yn y cwmni hwn, mae'n gryn her inni ddangos a phrofi pam. Nid 'y ddrama orau' mohoni. Tybed nad yw *Pobl yr Ymylon* yn ymgeisydd go gryf am y teitl hwnnw?

O ran hynny, nid yn rhinwedd eu gwerth llenyddol y saif y dramâu hyn, ond yn rhinwedd eu hargraff theatrig, a honno'n argraff 'yn ei dydd', na allwn ni ond ei hailbrofi'n amherffaith drwy arfer dychymyg, ac yn argraff hefyd ar gynulleidfa arbennig ac iddi ddisgwyliadau arbennig. Fel yr awgryma Ioan Williams eto, y cyd-destun yw Ymneilltuaeth mewn cyfnod o ymddatodiad. Fel pob theatr boblogaidd fe ddibynnai hon ar sefyllfaoedd a chymeriadau stoc; gallai beirniaid ac adolygwyr gwyno fod y rheini'n undonog, ond fel gydag unrhyw beth sydd wedi cydio, croesawai'r cynulleidfaoedd 'ragor o'r un peth'. Gwell cael hen aelwyd werinol, ddigon tebyg i aelwydydd y rhan fwyaf o'r edrychwyr. Tân papur coch yn y grât. Cysgod colled a thlodi dros yr hen gartref, a phryder yn llethu'r hen gwpwl. Merch ifanc rinweddol. Mab â disgwyliadau mawr yn ei gylch. Y sgweiar yn y cefndir, gyda'r stiward neu'r cipar yn cynrychioli ei fuddiannau. Diaconiaid, dynion cul, rhagrithiol yn amlach na pheidio; weithiau gweinidog, sy'n gymeriad mwy goddefgar a goleuedig. Plismon, i gynrychioli cyfraith gwlad. Potsiar, i gynrychioli eithaf her y gymdeithas werinol i'r drefn, mewn rhyw esgus diniwed o ryfel dosbarth. Fe gofir fel y bu i 'Fy nghyfaill Williams' grynhoi'r fformiwla wrth gynghori awdur yr Henllys Fawr, a'r sawl na chofia, gall droi at stori anfarwol 'Antur y Ddrama'. Yn aml aml fe ddown yn ôl at y ddau gwestiwn cysylltiedig, cwestiwn yr Hen Le, a chwestiwn y Mab. Beth ddaw o'r hen gartref? A oes obaith achub treftadaeth faterol a diwylliannol yr hen dylwyth? A ble mae'r mab colledig? A ddaw ef yn ôl mewn pryd i fod o gymorth i deulu a chymdeithas? Fel y gwelir, mae arlliw traddodiadol, mytholegol yn wir, ar y ddwy agwedd hyn. Hawdd y daw'r hen le yn ddrych o'r hen genedl, ac yn y mab mae adlais o Fab Darogan y traddodiad Cymraeg. Gall fod yn dipyn o hogyn drwg neu fab afradlon, wedi cael tro ac wedi gweud ei ffortiwn mewn gwlad bell; neu gall fod yn broffwyd ifanc sy'n cael ei gamddeall a'i erlid, ond sy'n dychwelyd yn fuddugoliaethus wedi cyfnod dan gwmwl. Drwy gyfrwng y cymeriadau a'r fformiwlâu hyn cyfyd y dramâu, gyda gwahanol raddau o lwyddiant, gwestiynau ynghylch trugaredd a chyfiawnder, gonestrwydd a rhagrith, gwirionedd ac ymddangosiad, anrhydedd a hunan-les. Er eu hawydd i gyflwyno'r gwir a'i wynebu, mae rhywbeth yn y rhelyw ohonynt sy'n atal iddynt ddilyn cwestiynau i'r pen; maent fel petaent yn ymladd brwydrau cenhedlaeth o'r blaen, ac er eu difrifwch yn camu'n ôl rhag wynebu gwir drasiedi. Mythaidd ydynt, o dan ryw rith o realaeth, ac yn hynny yr oedd eu hapêl.

Wrth chwilio am arbenigrwydd *Beddau'r Proffwydi*, fe dalai efallai inni edrych ar yr awduron. Cododd y cwestiwn yn fy meddwl, flynyddoedd yn ôl, beth a wyddwn i am R. D. Owen, R. D. Morris, W. Glynfab Williams, D. Gwernydd Morgan, Awena Rhun, Rhys Evans, Derwenydd Morgan, E. Arthur Morris, Grace Thomas, Mair Gwynedd, John R. Jones, Gwilym Rhug, H. O. Hughes, J. P. Walters, D. J. Davies ...? Ac ar y dechrau mi welwn na wyddwn ond y nesaf peth i ddim. Daeth blynyddoedd o chwilota â rhai atebion, a pheth cyfiawnder, gobeithio, â'r awduron prysur a gwasanaethgar hyn. Yr argraff gyffredinol yw mai awduron 'ar lawr gwlad' yw'r rhain, mân fasnachwyr, gweithwyr diwydiannol, gwragedd tŷ, gydag ambell sgwlyn a phregethwr. Ddechrau ail ddegawd yr ugeinfed ganrif, dan ysgogiad y cystadleuthau a noddwyd gan Arglwydd Howard de Walden, ymunodd dyrnaid o 'awduron Prifysgol' â chwmni'r dramodwyr: R. G. Berry, D. T. Davies a J. O. Francis. Ond yr oedd awdur *Beddau'r Proffwydi* un ar y blaen i'r rhain eto, yn ddarlithydd yn y Brifysgol, hefyd yn brifardd coronog, ac eisoes yn feirniad ac ysgolhaig cydnabyddedig. W. J. Gruffydd, hyd heddiw, yw'r unig un y gallwn ei osod yn rhestr dramodwyr y genhedlaeth cyn y Rhyfel Byd Cyntaf ac yn rhestr ei phrif lenorion yr un pryd. A wnaeth hynny ef yn *well* dramodydd na'r lleill sy'n gwestiwn mawr.

§

Hyd y gwyddys, *Beddau'r Proffwydi* oedd drama gyntaf Gruffydd. Ond yr oedd eisoes wedi dangos diddordeb byw yn y cyfrwng, ac yn ôl ei arfer wedi ei dweud-hi'n o hallt am rai pethau. Gwnaethai hynny mewn dau gyfraniad yng nghyfrol gyntaf *Y Beirniad*, 1911. Adolygiad yw'r naill, ar *Glyndwr: Tywysog Cymru*, 'chwaraeawd hanesiol' Beriah Gwynfe Evans. Gwelwyd hwn fel yr ergyd farwol i'r ddrama fydryddol, hanesyddol, goeg-Shakesperaidd a gawsai ei hawr oddeutu tro'r ganrif. Ond yn wir, yn Eisteddfod Genedlaethol Y Fenni, 1913, fe gafwyd Gruffydd – yr unig dro iddo feirniadu'r ddrama yn yr Eisteddfod – yn gyd-feirniad â Beriah ar ddrama 'yn desgrifio bywyd a marwolaeth William Herbert, Iarll cyntaf Penfro'. Dau ymgeisydd oedd, ac ar ôl beirniadaeth lai na brwd (rwy'n meddwl mai Gruffydd a'i sgrifennodd) rhoed pedair punt yr un 'am eu llafur y tro hwn' i Robert Stephens a'r Parchedig Peter Williams (Pedr Hir). Dramâu mydryddol eto fyth oedd y ddwy, yn tystio fod dull Beriah eto'n fyw. Ysgrif, 'Drama i Gymru', yw'r cyfraniad arall yn *Y Beirniad*, 1911. Yn ei phwyslais ar y 'teilwng', ac ar y ddrama fel 'y fwyaf cenedlaethol' o bob ffurf ar lenyddiaeth, mae'r ysgrif yn dra nodweddiadol o'r genhedlaeth; yn ei hanniddigrwydd a'i diffyg amynedd mae'n dra nodweddiadol o'i hawdur. Dyma ragarwydd o'r math o ddrama yr hoffai Gruffydd ei sgrifennu petai'r cyfle'n dod, a'r unig ddrama a wêl ef yn bosibl yng Nghymru; yr un pryd mae'n ysgubol o ddiobaith ynghylch yr amodau a allai ganiatáu drama o gwbl. 'Allan o lawnder a chyfoeth bywyd y genedl y tyf y blodeuyn hwn, ac ni ddaw yntau, mwy na'r gwynt, wrth chwibanu amdano.' Gan gyffredinoli'n bur ffri, cymer ddwy enghraifft gyfarwydd os nad ystrydebol. 'Cadd y Saeson eu drama am fod eu bywyd yn llawn, ac am fod calon y genedl yn iach'. A chafodd gwlad Groeg ei drama 'yn anterth ei nerth pan oedd ei delfryd eto'n uchel a'i hamcanion yn gywir.'

> Beth, felly, am Gymru? Os gwir yw'r hyn a ddywedwyd uchod, a ydyw Cymru'n barod i'r ddrama? A ydyw yn ei haeddu? Ni all y meddylgar diragfarn roi ond un atebiad – nid yw Cymru'n barod i'r ddrama nac ychwaith yn ei haeddu. Nid oes ganddi mo'r dyfnder daear i fagu'r gwreiddiau. Sut y ceir drama i Gymru, a'n bywyd cenedlaethol mor bwdr?

Wedi rhes o enghreifftiau o'r pydredd cenedlaethol, casgla Gruffydd fod 'un drws arall yn agored':

> Mewn gwledydd lle mae cymaint o oferedd ac o ynfydrwydd ag sydd yng Nghymru heddyw, fe gyfyd weithiau y ddrama ddychan – *satire* – i ysgyrsio pechodau'r genedl. Paham na cheir hon yng Nghymru? Fe'i caed yn Athen ac yn Lloegr. Paham na all Cymru gael hyn o leiaf?
>
> Y mae lle mawr i ofni fod hyn hefyd yn amhosibl. Y mae malltod arall sy'n llawn cynddrwg â'n hoferedd a'n trawsni wedi disgyn arnom, malltod sydd bob amser yn cydoesi â bywyd cyhoeddus gwag ac amcanion isel, a henw'r afiechyd hwn yw *parchusrwydd.* ... Wedi'r cwbl, cenedl o ddynion neis, parchus, ydym, a gweiddi 'diffyg chwaeth' yw'r peth cyntaf a wnawn wrth feirniadu. ... Pa fodd y ceir drama ddigri felly, a holl wrywiaeth a nerth y genedl wedi mynd i golli? 'Os na fyddi dda, bydd barchus,' medd y Sais. 'Paid â thrafferthu i fod yn dda, bydd barchus,' medd Cymru fawr ei breintiau.

Ar y diwedd, rhyw hanner gobaith felly, a sylwer eto ar y cysylltiad a welir rhwng y ddrama ac 'ysbryd cenedl':

> Ond beth am y dyfodol? A oes rhyw siawns i Gymru gael drama? Oes; fe ddaw'r ddrama i Gymru, fel y daeth i bob gwlad arall, pan fo Cymru wedi ymlanhau ac wedi ymburo, a phan fo'i meddwl a'i hiaith yn ddigon glân a gofalus i ysgubo ymaith yn dragwyddol fân ganonau y '*Pinkie-dinkies*' neis, neis, sydd mor feirniadol heddyw. Fe gyfyd y ddrama ar fedd y cwac a'r anwybodus, – ardderchog o wrtaith iddi fydd eu llwch.

O fewn dwy flynedd daeth y cyfle mawr i darfu'r *Pinkie-dinkies*. Cofnodwyd gan rai a oedd yno beth o hanes cyfansoddi *Beddau'r Proffwydi* a'r paratoi ar gyfer y noson fawr agoriadol. Ymddengys mai prif ysgogydd y fenter oedd Ernest Hughes, darlithydd mewn Hanes yng Nghaerdydd ar y pryd, Athro'r pwnc yn Abertawe wedyn, Cymro twymgalon a gweithgar dros ben (arno gweler *Y Bywgraffiadur Cymreig, 1951-1970*); ef oedd yn cynhyrchu, gan chwarae hefyd ran deimladwy Twm Huws yn y drydedd act. Cytunodd W. J. Gruffydd, darlithydd mewn Celteg (fel y dywedid yno ar y pryd ac am flynyddoedd wedyn) i lunio drama newydd ar gyfer y cwmni selog o fyfyrwyr. Yr oedd yr actorion yn medru'r ddwy act gyntaf yn bur dda, a'r noson yn agosáu. Fel gyda sawl ymgymeriad arall yn ei yrfa – Cofiant O. M. Edwards, yr *Hen Atgofion*, y gyfres astudiaethau ar y Mabinogi – ni châi'r awdur hi'n rhwydd gyda'r ail hanner. Dan bwysau'r amser, sgriffiniodd y ddwy act olaf yn syth ar y stensil er mwyn eu lluosogi, gan fyw profiad hen Rufeiniwr yn bwrw'i feddyliau mewn cwyr. Gruffydd hefyd, pan brofodd dau neu dri arall yn anghyfartal â'r her, a roed yn rhan yr arwr, Emrys. Meddai Henry Lewis (Yr Athro, yn ddiweddarach, yntau'n un o'r actorion):

> Mae'n sicr fod yn rhaid cael dau beth sylfaenol mewn actor – rhaid iddo wybod ei bart air yng ngair, a rhaid iddo ymostwng i ddisgyblaeth. Amheuem yn fawr a oedd y ddau beth anhepgor hyn ymhlith rhinweddau Gruffydd!

'Y Ddrama Gymraeg' oedd ei henw tan yn weddol hwyr, yna cafwyd *Beddau'r Proffwydi* o'r Efengylau, efallai am fod y geiriau wedi eu dyfynnu yn y ddialog. Dwg Henry Lewis i gof eto:

> Ar y funud olaf bron dywedodd Gruffydd wrthyf ei fod wedi sylweddoli'n sydyn fod un o'r cymeriadau yn y ddrama yn dwyn yr un enw'n hollol ag un o drigolion Bethel! Bu raid newid yr enw, a siarsio'r actorion i gadw at yr enw newydd. Nid yr un yw ei enw yn y llyfr printiedig ag yn y copi *cyclostyle*.

Rhaid mai 'William Tomos, y Post' oedd y cymydog mewn perygl o gael ei enllibio. Aeth ef yn 'William Pritchard, London House' yn y perfformiadau ac yn y copïau a gyhoeddwyd.

Dair wythnos cyn y perfformiad, cafwyd rhagolwg brwd gan gyfrannwr o'r enw 'Alban' ar dudalen flaen *Y Brython*:

> *Tro'r ddrama wedi dod.* – Dywenydd gweled ein gwlad annwyl yn deffro i well dirnadaeth o anhepgorion diwylliant a chynnydd ... a heddyw y mae'r Cymro, boed alltud o'i wlad yn Llundain fawr, neu ymgreiniad ym mro ei faboed, yn dihuno i alwadau'r ddrama. Damwain bwysig yn hanes Caerdydd oedd dyfodiad y coronfardd W. J. Gruffydd M.A. yn athro yn ei phrif ysgol; ac yn ddiweddar bu ei awen frwd yn nyddu drama newydd Gymraeg i'w hactio'n gyhoeddus gan fyfyrwyr Coleg y De. Cymer yr amgylchiad le ar lwyfan un o brif chwaraedai ein dinas, ar y 12fed a'r 13eg o Fawrth.

Adroddir fel y bu'r awdur yn 'ffodus iawn i gael nifer o wŷr o urddas i'w gefnogi', ac enwir Arglwydd Merthyr (Llywydd y Coleg), Iarll Plymouth, Arglwydd Tredegar, Arglwydd Howard de Walden a Syr Ifor Herbert. Pa un ai ariannol ai beth oedd y gefnogaeth, ni ddywedir. Hysbysir y bydd y copïau printiedig ar gael erbyn y noson, ac addewir y bydd y ddrama, o ran ei theithi, 'yn dra gwahanol i gyffredinolrwydd y dramodau Cymreig'. Eiddunir llwyddiant i'r awdur ar ei anturiaeth.

Ar 20 Mawrth 1913, wythnos wedi'r perfformiad, wele 'Alban' yn *Y Brython* eto gydag adolygiad manwl, tair colofn o brint mân. Rhaid mai'r copi dyblygedig a ddaeth i'w law, canys 'William Tomos, y Post' sydd yma o hyd, yn cael ei actio gan Cynolwyn Pugh (cyn-löwr, wedyn gweinidog ar ddwy lan Iwerydd, ac enillydd Medal Ryddiaith Eisteddfod Genedlaethol Glynebwy, 1958). Yr un diwrnod, cawn adolygiad eithaf llawn yn brif stori tudalen flaen *Tarian y Gweithiwr.* Mae'r ddau yn werth eu dyfynnu fel enghreifftiau o adolygu cydwybodol yr oes, mewn papurau sy'n llawn gwybodaeth o bob cwr. Eto fyth maent yn llawn syniad yr oes am 'ysbryd y ddrama', ac am y ddrama fel sefydliad 'cenedlaethol' yn anad dim.

Pennawd 'Alban' yw 'HYBU'R DDRAMA. Beddau'r Proffwydi gan Brifysgolwyr Caerdydd.' Cyn dod at y chwarae, mae'n bwysig cyfleu awyrgylch y noson, yr hwyl Gymreig a gwladgarol sydd mor bwysig yng ngolwg yr adolygwyr:

Wedi'r holl ymdymhestlu a'r brwydro er cael breintiau a manteision diwylliant, wele'r ugeinfed ganrif yn gwawrio ar hen Walia deg, a phelydrau rhosliw yn harddu ac yn goleuo llwybrau ein meibion a'n merched hyd at ddydd mawr y Ceinwybodau a'i syniadaeth uwch a'i uchelgais newydd. Clywir chwaon y dadeni yn dynerach eu lleisiau na chynnwrf gwlad a gwleidyddiaeth, yn cyffroi talentau amryddawn y Cymro i ehangu tiriogaeth ei lên a'i gelf tan y dylanwadau newydd sy'n llawn o obeithion pwysig. Bu'r ddrama yn noddfa i rai o feirdd mwyaf pob oes o'r bron, ac nid rhyfedd oedd clywed fod un o awenyddion rhagoraf ein cenedl am fanteisio ar y tueddiadau sy'n ferw heddyw ym mywyd a meddwl Cymru. Bre[i]ntiwyd dinas Caerdydd gan un o ddigwyddiadau hynotaf y mudiad newydd, sef gan waith Mr. W. J. Gruffydd, a drefnodd gyda nifer o fyfyrwyr Cymreig o Goleg y Brifysgol i chwarae ei ddrama newydd a godidog tan gronglwyd Chwaraedy Brenhinol y ddinas. Ni fu erioed sioncach cynulleidfa na'r tyaid llawn o Gymry a bentyrrodd i wrando a gweled *Beddau'r Proffwydi* nos Fercher diweddaf. Yr oedd y fan yn llawn o arwyddion llawenydd a brwdfrydedd, a llawer o drigolion mwyaf cyfrifol Caerdydd a'r gymdogaeth wedi dod i'r dygynnull i nawddogi y chwarae. Felly ymdaenai ysbrydiaeth drydanol o oriel i oriel, a phawb mewn cywair hylon yn barod i fwynhau y wledd a gawsant. Yr oedd yn hawdd gweld fod ei gampwaith Cymraeg yn rhyngu eu bodd ac nid anniddorol fai croniclo y ffaith fod amryw o weinidogion Ymneilltuol Caerdydd a chlerigwyr yn y dorf, a pharodd teimladau da, nawdd a thuedd y gynulleidfa, asbri neilltuol i'r chwaraewyr i goroni gwaith y noson â llwyddiant.

Yn ffodus, cefais gyfle oddiar y fainc flaenaf, lle'r oedd pob un a'i farn yn brysur i fwynhau y traethiad; ac o amser codiad y llen hyd y diffoddwyd goleuadau'r adeilad ar y diwedd, ni bu gwiw gan un o'r gynulleidfa fawr ysgog o'i eisteddle. Gwedi canu o'r gerddorfa rai o'n halawon, dacw'r llen yn araf godi ac megis yn y gwyll gwelwyd cegin y Sgellog Fawr ... rhedai hyfrydwch drwy'r bobl o weled hen gegin Gymreig

> ardderchog a'i dodrefn mawr o bres ac efydd a phiwtar gyda llestri a phedyll mân. ... Ac fel y syrthiai'r Ogleddiaith bert a syml ar glust y dorf, aeth ffrwd o hyfrydwch trwy'r lle, ac fe effeithiodd hyn drwy gydol y perfformiad fel gwefr ar y chwaraewyr. ... Ac i ddweyd y gwir, dyma un o'r golygfeydd a'm swynodd fwyaf o'r holl ddramodau Prydeinig a welais ac a glywais yn ystod yr ugain mlynedd diweddaf. Ceidw pob cymeriad ei neilltuolion ei hun, a bu'r awdur yn ffyddlon i bortreadu gwir gymeriadau ac arweddau Cymreig heb dramgwyddo dim ar ysbryd crefyddol ei gydwladwyr. Sieryd pob un ohonynt drosto ei hun, ac yr oedd celf Mr. Ifon Jones fel *Huw Bennet y Gelli* yn tra rhagori ar ddim ar a welais â'm llygaid erioed, ac nid rhyfedd ychwaith, canys oni ddywed Ruskin: '*I am persuaded that no art has any virility unless it springs from the spirit of the country in which it has its origin.*'

Fe ddilyn adroddiad, olygfa am olygfa, gyda dyfynnu helaeth. Rhoir geirda i'r actorion oll yn eu tro, a chlod i'r awdur yn ei godi'n syth i rengoedd blaen llenorion y byd. Am y drydedd act, er enghraifft:

> Wele act arall yn orlawn o ddynoliaeth a chrebwyll, a fyddai'n glod i ben ac athrylith Tolstoi ei hunan yn ei darluniad o ddioddefiadau y werin, ac amheuthun oedd y tameidiau athronyddol a Chymroaidd a ddylifai dros fant *Twm Huws*, un o'r tlodion wrth siarad â meistr y Tloty. Ni fu Voltaire na Victor Hugo yn fwy ergydlym na'r hen Gymro distadl hwn ... Cadwodd Mr. Gruffydd ei hunanfeddiant yn ardderchog fel y gweithiai ei neges, a'i foeseg, a'i ymadroddion yn gain, ac yna eu bwrw'n deilchion drachefn, gan ollwng ei arabedd wawdlym, sef ffrwyth ei yrfa siomedig ac eneidloes ... Cadwodd yr awdur yr olygfa yn rhydd oddi wth *sentimentality* y serchiadau, ac er fod tân gwyllt chwerwder ysbryd yn ffrydio ac yn poethi yn ei fynwes, a'i chwerthiniadau cellweirus fel pe am foddi cynghanedd a naws *Ann* a oedd yn ei garu yn fwy na phopeth.

Wedi disgyn o'r llen 'ar orffeniad un o'r chwaraedau (sic) mwyaf effeithiol a llwyddiannus a luniwyd i ddiddori a hyfforddi plant dynion':

> Cawodwyd gwarogaeth pawb oedd yno ar ben yr awdur a'i gyd-chwareuwyr. Bu raid iddo ymddangos gerbron y llen ddwywaith neu dair, ac fe gafwyd araith fer ganddo. ... Eiddunwn hir ddyddiau iddo i arllwys ei dalent ddihafal i ddysgu ei genedl o'r hyn y gall ymgyrraedd ati. Amlhaed rhifedi ei ddramodau mirain a phrydferth i rywiogi bryd a meddwl. Erys argraffiadau y ddrama hon a'i dirif bethau da yn hir i brofi dilysrwydd broddeg geinaf barddas Prydain, sef un John Keats: '*A thing of beauty is a joy for ever.*'

Dienw yw adolygydd *Tarian y Gweithiwr*. Tybed nad y golygydd, J. Tywi Jones, dramodydd ei hun? Unwaith eto, y cam ymlaen i lwyfan theatr go-iawn yw'r peth a nodir gyntaf:

> Nos Fercher, y 12fed o Fawrth, 1913, chwareuwyd drama Gymreig mewn chwareudy cyhoeddus, sef y Chwareudy Brenhinol, Caerdydd, am y tro cyntaf yn holl hanes y genedl. Profodd y perfformiad yn eithaf llwyddiannus, ac nid annaturiol oedd clywed rhywun o'r dorf yn dweyd wrth fynd allan: 'Pum' mlynedd eto a bydd gan Gymry Caerdydd eu chwareudy eu hunain.' Yn ddiamau, os â llenorion Cymru ymlaen ar hyd y llwybr newydd agorwyd iddynt gan W. J. Gruffydd, sef awdwr y ddrama o dan sylw, mewn byr amser bydd gan Gymru ei Drama Genedlaethol fel pob cenedl arall.

Fe awgryma'r 'eithaf llwyddiannus' ymateb llai brwd, ond yn wir twymo iddi y mae'r adolygydd wrth ddilyn y golygfeydd, ac erbyn y diweddglo nid oes derfynau ar ei werthfawrogiad:

> Gwelwn fod gan y ddrama hon neges arbenig nid yn unig i'r Cymry, ond i'r byd yn gyfan. Dyma ddarlun perffaith o hunanoldeb, o anwybodaeth, ac o genfigen blaenoriaid y byd

> crefyddol a'r byd cymdeithasol yn 'y wlad'. Does dim lle i ddyn fel Emrys ynghanol creaduriaid gwael fel rhain; ac wedi syrthio i Gors Anobaith, sudda i lawr ac i lawr yn îs i fedd y proffwydi, ac yno yr arhosai am bob tragwyddoldeb oni bai am angyles fel Ann i'w adgyfodi.
>
> Dyma ddrama wir deilwng i ddechreu y symudiad newydd yn llenyddiaeth Cymru. Y mae yn llawn o ddyddordeb, ac y mae ganddi ei neges. Fel dywedodd y beirniad Seisnig: 'The play is strong alike in satire and romance.' A mwy na'r cyfan, mae wedi ei hysgrifenu yn iaith bur y werin ddysgedig, heb fod yn rhy isel nac yn rhy glasurol.

Mwy gochelgar yw sylwadau 'E.E.' (Ernest Evans) mewn ysgrif 'Some Recent Welsh Plays' yn *The Welsh Outlook*, 1914. Cymysg yw ei deimladau am y ddialog; gwêl hi'n llenyddol yn hytrach na dramatig, ac eto 'a good deal of it is bright, shrewd and successful'. Mae'r feirniadaeth sydd yn y ddrama yn ei anesmwytho braidd:

> There still remains the question of the attitude which the Welsh dramatist is going to take up towards many of the institutions of the country. In this connection it should be remembered that the Welsh Drama is at present in its infancy, and there will be more likelihood of sturdy growth on its part if it appeals to the sympathy of all classes. This it will not do, if institutions which have played a great part in the life of the country are subjected to crude and unsympathetic attack.
>
> ... The dramatist is undoubtedly entitled to use his plays as a protest, but the public is entitled to ask that the protest shall be against fact, not fancy. He may, if he will, make his protest through the medium of caricature, but he should not base his protest upon caricature. These remarks are perhaps not strictly relevant to 'Beddau'r Proffwydi' which contains nothing of an unfair or offensive character, but one cannot help feeling that Mr. Gruffydd has allowed his portraits of one set of Deacons to be lacking in faithfulness in order that they be made the objects of his satire. They are, obviously, the villains of the piece.

Ie, go ryw amwys. A thybed na chlywai Gruffydd yma lais un o'r 'Pinkie-dinkies'?

Cofnoda O. Llew Owain yn *Hanes y Ddrama yng Nghymru* y bu peth condemnio ar *Beddau'r Proffwydi* 'oherwydd llymder ei beirniadaeth'. Edrydd J. Dyfnallt Owen yr un modd, mewn ysgrif 'Camre'r Ddrama yng Nghymru', *Y Llwyfan*, 1928: 'Cododd llawer tymestl yn sgil y ddrama honno. Yr oedd y ddrama'i hun yn feirniadaeth feiddgar, lem, ar bethau a dybid yn gysegredig, ond yr oedd y feirniadaeth ar y ddrama'i hun yn fwy llym fyth.'

Ond deil Dyfnallt yn bleidiol iddi, 'utgorn yn erbyn hen hualau oedd yn crebachu bywyd Cymru', drama ac ynddi 'gryfder brawddegau, saerniaeth ymadroddion a chelfyddyd mynegiant', 'drama yn talu gwrogaeth i feddylgarwch a chwbl rydd oddiwrth ysbryd masnachol'. Ac am y rheswm olaf, awgryma nad y theatr Seisnig oedd ei chartref priod, 'eithr llwyfan yng Nghymru Gymreig yng nghanol y bobl'.

Hynny'n wir a gafodd. Ac os bu beirniadaeth, nid amharodd ddim ar ei bri hyd at drothwy'r Ail Ryfel. Hi, meddai O. Llew Owain, 'a ystyrrid fel drama fawr y deffroad'. Hi oedd dewis pump o blith y pedwar cwmni ar bymtheg a ddaeth i gystadleuaeth actio drama hir Eisteddfod Genedlaethol Bangor, 1915 – y gystadleuaeth gyntaf o'i bath yn hanes yr Eisteddfod; ac un o'r pump hynny, Cwmni'r Ddraig Goch, Caernarfon, a ddaeth i'r brig. Bu sôn mawr am berfformiad y dramodydd Gwynfor (T. O. Jones) yn rhan Huw Bennet y Gelli. Rhydd T. J. Williams, *Hanes y Ddrama Gymreig*, holl feirniadaethau'r gystadleuaeth hon, a holl fanylion y cwmnïau a oedd 'am y dorch'. Dyfynna hefyd, yn ddiddorol iawn, lythyrau gan ysgrifenyddion cymdeithasau drama'r tri choleg prifysgol (fel yr oeddent bryd hynny). A barnu wrth lythyr Coleg Caerdydd (a Henry Lewis, mae'n debyg, oedd yr ysgrifennydd), nid oes gamgymryd yr hwb i forál Cymry'r coleg gan chwarae'r 'ddramawd drwyddedig Gymraeg gyntaf, gyda phrogram Cymraeg a phopeth yn union yr un fath a phetae'n ddramawd Saesnig'. Gan ddeffro chwilfrydedd, dywed y llythyr hwn hefyd fod 'Y Ddwy Allor' o waith Gruffydd wedi ei pherfformio yn y coleg ar nos Ŵyl Ddewi, 1914, a bod honno bellach yn y wasg. Ni chaed hanes wedyn am ddrama â'r teitl hwn; y tebyg yw mai *Dyrchafiad Arall i Gymro* yw hi dan enw cynharach.

Gan Saunders Lewis – pwy arall? – y caed y feirniadaeth fwyaf cryno a deifiol ar *Beddau'r Proffwydi*. Bu hynny yn un o'i ysgrifau arloesol yn y *Cambria Daily Leader*, fis Hydref 1919. Bu S.L. yn adolygu perfformiadau Gŵyl Ddrama Abertawe bob nos am wythnos, gan rannu clod ag anghlod â phlaendra nas gwelsid erioed o'r blaen mewn beirniadaeth ddrama yng Nghymru, ac a fu'n dipyn o sioc i rai. Ar ddiwedd yr wythnos, dan y pennawd 'The New Revivalists' crynhodd argraffiadau cyffredinol o ddrama'r adfywiad diweddar. Soniodd am y duedd i ddadlau ac i gymryd ochr, ac am y confensiwn o osod y blaenor yn gocyn hitio. Nid oedd enghraifft fwy alaethus na *Beddau'r Proffwydi*:

> Our writers have made the public their jury, they have put the deacon in the dock, and with every gift of skilful advocacy they have won their brief. But on the stage you may win your brief and lose your play. Mr. W. J. Gruffydd is an example of a playwright lost. ... Only the blindness of his zeal and hate can explain the tawdry melodrama of *Beddau'r Proffwydi*, its crudity of structure and characterization.

Daw yr un beirniad yn ôl at Gruffydd mewn ysgrif 'Welsh Drama and Folk Drama', yn *The Welsh Outlook* y flwyddyn ganlynol. Gan ddyfarnu eto mai 'methiant' ydyw fel dramodydd, cynigia awgrymiadau, rhai digon rhyfedd a dweud y lleiaf, sut y gallai Gruffydd droi'n llwyddiant ar y llwyfan y pethau sy'n gryfderau ynddo fel bardd:

> And if Wales were a Catholic country, Mr. Gruffydd might have done for us what M. Claudel is by way of doing for the French theatre: he might have written the mystery play of peasant life. He might have set on the stage the symbolic

> figures of Earth, Death, Hope, Defeat – these characteristics of his poetry – and the peasant over whom he so passionately broods. But as things are, he has chosen for his drama the insignificant symbolism of a social system, and his poetry in the plays has surrendered its beauty to a waste of anger and the futilities of declamation. Yet neither in his verse nor in his dramatic work does Mr. Gruffydd approach the folk imagination. He is cut off from the folk, uprooted, by his own sensitiveness and lonely quest. ... A play of social life he could never write well; his outlook is too religious; he shows the divinity in human nature too intently – he lacks vulgarity and mirth and human compromise.

Yn sicr nid oes unrhyw arwydd i Gruffydd fanteisio ar y cynghorion, a dyn a ŵyr beth a wnaeth o'r dadansoddiad ohono'i hun! Ond yn wir, yn fuan iawn wedyn, fe'i ceir yn cytuno i raddau rhyfeddol â rhan o'r feirniadaeth. Adolygu gwaith ei feirniad, *Gwaed yr Uchelwyr*, y mae yn *Y Llenor*, 1922. Er bod yn rhaid iddo bwysleisio na all gytuno o gwbl â dadl wleidyddol neu ddiwylliannol y ddrama, bod 'rhinwedd yn y balchter aristocrataidd', rhydd deyrnged gynnes i'w gwreiddioldeb a'i didwylledd ac i'w defnydd o iaith safonol lenyddol yn y ddialog. Cryfder arall ynddi yw 'ei hymgais i droi oddiwrth y melodramatig sy'n gwallio'r awdur Cymreig dro ar ôl tro'. Ac fel 'esiampl adfydus' o'r bai hwnnw mae'n enwi ... *Beddau'r Proffwydi*!

Ymhen dengmlwydd ar hugain eto, mewn pennod anghyhoeddedig o'r 'Hen Atgofion', ysgrifenna Gruffydd yn llawnach ac yn llymach ei hunanfeirniadaeth. Yn ei gofiant i Gruffydd dyfynna T. Robin Chapman o'r ddogfen hon yn y Llyfrgell Genedlaethol:

> Dyma sy'n od, yr oeddwn yn ddeg ar hugain oed pan ysgrifennais 'Beddau'r Proffwydi' ac wedi gweled rhai o'r dramâu modern gorau yn Saesneg ac wedi darllen llawer mwy na hynny, ond er hynny, rywsut neu'i gilydd, ni fedrais

osgoi'r pyllau gwaethaf, syrthiais iddynt yn bendramwnwgl, ac ni welodd y lliaws mawr o feirniaid Cymraeg a ysgrifennodd am y ddrama mor fawr oedd fy nghwymp.

§

Pwy sy'n iawn? Yr awdur wrth edrych yn ôl, ynghyd â'i brif bartner paffio ym mywyd llenyddol Cymru? Ynteu'r cwsmeriaid brwd yn y blynyddoedd cyntaf wedi ymddangosiad y ddrama? Er fy ngwaethaf caf fy atgoffa eto o syniad a grybwyllais yn fyr yn y gyfrol *Beirniadaeth John Morris-Jones*, y syniad hwnnw a goleddir gan rai o'r beirniaid a elwir yn 'ôl-fodernaidd', fod yr ymateb iddo, ymateb cenhedlaeth a chyfnod, sydd felly'n newid gydag amgylchiadau, yn dod rywfodd yn rhan o'r gwaith, fel nad yw'r gwaith – a gwthio'r ymresymiad i'r pen – yn bodoli mewn gwirionedd ar wahân i'r derbyniad a gafodd neu'r dehongliad a osododd y derbynwyr arno. Ond fel y gwyddom, 'gwlad arall yw'r gorffennol, ac arall yw ei harferion', ac am hynny ni allwn ni ond yn amherffaith iawn ddychmwygu'r derbyniad a'r dehongliad.

Beth a ddywed darllenwyr y gyfrol hon heddiw, ar ganmlwyddiant *Beddau'r Proffwydi*? A oedd cynulleidfa Caerdydd, a chynulleidfaodd ledled Cymru wedyn, a chwmnïau a chynhyrchwyr drama hyd at yr Ail Ryfel Byd, yn gwbl amddifad o synnwyr beirniadol? A wyddent beth oedd drama? Wrth ddechrau ystyried y cwestiwn fe wynebwn nifer o broblemau, mawr a mân. Dyma dair o'r problemau llai. A allwn ddibynnu ar Pero'r ci i wybod ei bart bob amser? A dorrir y gwydr bob tro y mae Ann yn taflu'r gwn drwy'r ffenest yn y drydedd act? Sut na chipiodd rhywun y gwn pan oedd Emrys, ychydig ynghynt, 'â'i ddwylo ar ei wyneb, â'i ben ar y bwrdd'? Yn y pegwn arall, ac yn bwrw'r lleill oll i'r cysgod, y mae'r broblem fawr, sylfaenol. Fe'i hawgrymwyd hi'n gynnil a charedig gan T. Gwynn Jones (cyfaill pennaf yr awdur ar y pryd) wrth adolygu yn *Y Beirniad*, ac fe ddeil heb ei hateb. Beth ar wyneb y ddaear yw 'neges Emrys'? A oes rywun damaid callach ar y diwedd mwy nag ar y dechrau? Ac yn rhan o'r un cwestiwn mae cwestiwn arall: beth yw proffwyd?

Ymhen deng mlynedd, a'r rheini'n cynnwys llawer tro ar fyd, mae rhai o syniadau Gruffydd wedi crisialu. Y crynodeb gorau ohonynt yw ysgrif 'Y Proffwyd' yn *Y Llenor*, 1923, a llenwir y darlun gan yr ysgrifau 'Gwrthryfel ac Adwaith', 'Syniadau Lleygwr am Natur Eglwys', ac 'Atebiad y Golygydd i Mr. Saunders Lewis' (gweler y Llyfryddiaeth). 'Y Proffwyd' yw hwnnw sydd 'â'r ddawn arbennig, anghyffredin, nad yw'n eiddo i'r ddynoliaeth yn gyffredinol, i dreiddio i ganol byd y sylwedd ac, am foment, amgyffred y sylwedd hwnnw.' Ef yw 'llys-gennad yr anweledig yn y byd'. Ei un anghenraid yw 'gweledigaeth', a honno'n weledigaeth o 'lywodraeth y cyfan ar y rhan'. Yng ngrym y weledigaeth, ei waith yw gwasanaethu 'tyfiant a chynnydd' yn y gymdeithas ddynol; neu a'i roi fel arall, mae ef ar ochr Gwrthryfel ac yn erbyn Adwaith. Gyferbyn â'r Proffwyd saif yr Offeiriad, ceidwad y drefn draddodiadol, osodedig. Rhagdybir hefyd mai ieuanc yw'r Proffwyd, 'crewr gwrthryfel yr ieuanc', a dyma un o agweddau mwyaf dadleuol y diffiniad. Fel rhai eraill o'r gwŷr a ddychwelodd o'r Rhyfel Byd Cyntaf mynnai Gruffydd mai gwaith hen ddynion oedd y rhyfel hwnnw, a rhyfeloedd yn gyffredinol, a mynegodd hynny yn y gerdd '1914-1918: Yr Ieuainc wrth yr Hen'. Hanner gwirionedd digon camarweiniol, fel y gellid dangos yn hawdd.

Sut yr edrychai Gruffydd, tybed, ar broffwydi a phroffwydoliaeth yn ein Cymru ni, ganmlwydd ar ôl *Beddau'r Proffwydi*? Daeth 'Meibion y Proffwydi' yn deitl un o benodau'r *Hen Atgofion*, y bennod am gymeriadau gwreiddiol, smala ac ecsentrig yr hen ardal. Digwydd yr ymadrodd droeon yn llyfrau'r Brenhinoedd, ac awgryma'r esbonwyr mai'r ystyr yno yw aelodau iau o frawdoliaethau proffwydol yng nghyfnodau cynnar hanes y broffwydoliaeth. Ond, a'i gymryd am y tro i olygu plant yn ôl y cnawd, oni fyddai raid i Gruffydd, petai'n dychwelyd atom heddiw, gydnabod un ffenomen bur drawiadol ym mywyd Cymru, sef difrawder plant ymgyrchwyr yr hanner canrif diwethaf tuag at y pethau a fu'n corddi neu'n ysbrydoli eu rhieni, eu methiant ymddangosiadol i ddeall nad yw pethau'n debyg o ddigwydd heb beri iddynt ddigwydd, eu parodrwydd un ai i fyw yma'n gysurus ddiofal ar gefn y Gymraeg neu ynteu i ymadael yn ddeunaw oed yng ngrym y gred 'gallaf ddianc rhag hon'? Oni welid yma achosion eglur o'r hen yn meddu ar y broffwydoliaeth, a'r ifanc heb lawer o glem nac awydd?

Er goleddfu darlun Gruffydd o'r Proffwyd mewn ambell fan fel yna, rhaid imi ddweud imi ei gael, o ddychwelyd ato dros y blynyddoedd, yn ddarlun cynhwysfawr ac argyhoeddiadol drwodd a thro. Fe hoffai Gruffydd, does dim amheuaeth, feddwl ei fod yn ddarlun ohono'i hun, 'prif gythraul y cyhoedd yng Nghymru', a neb yng Nghymru, wrth gwrs, yn cael llai o wrandawiad nag ef; un a ddaliwyd yn faban uwchben padellaid o ddŵr poeth i'w gadw'n fyw drwy aeaf oer, ac yr aeth yr oruchwyliaeth honno yn 'anghenraid moesol' iddo weddill ei fywyd! A phethau fel yna! Na phwyswn y cwestiwn yn rhy galed heddiw, beth a gostiodd bod yn broffwyd i W.J.G.

Y cwestiwn i ni yn awr, a chymryd fod diffiniad yr awdur yn weddol gywir, yw pa fath broffwyd yw Emrys Williams mewn cymhariaeth? Wrth inni ddilyn ei hanes daw perygl gwirioneddol fod Meistr y Tloty yn y drydedd act, a'i galwodd yn 'ffŵl anystyriol', dipyn yn nes ati nag Elin William ei fam, Azariah Evans y gweinidog, a'r hen gyfaill Huw Bennet, a ddygn gredai fod gan Emrys genadwri fawr i Lanfesach a Chymru. Wrth iddo ymhyrddio o un helbul i'r nesaf, nifer o raddau yn wylltach na hyd yn oed ei grewr ar eithaf ei radicaliaeth ddiamynedd, anarchaidd, gofynnwn yn sobr beth sydd a wnelo'i drafferthion a'i brofedigaethau ag unrhyw fath o egwyddor neu safiad. Rhaid yw ateb, dim o gwbl. O'r holl broffwydi ifainc gwrthodedig, camddealledig – perthnasau Bob Lewis – yn nramâu'r cyfnod, ac o'r holl feibion afradlon annisgwyl-ddychweledig, ef yw'r lleiaf argyhoeddiadol. Nid oes dim rhesymeg, na dim anocheledd yn y digwydd. Dyna nam sylfaenol y ddrama. Ac eto ...

Wrth ystyried *Beddau'r Proffwydi*, drama canmlwydd yn ôl, a nodi ei holl wendidau, ac weithiau cilwenu os nad chwerthin yn iach yn wyneb rhai pethau, a allwn ni o lwyrfryd calon wadu fod 'rhywbeth ynddi', er efallai bod y 'rhywbeth' hwnnw mor anodd i'w ddal a'i ddiffinio â 'neges Emrys'? Wrth gloi astudiaeth werthfawr yn *Llên Cymru* (2007) daw William R. Lewis, a chanddo'r profiad o'i chyfarwyddo ar lwyfan Theatr Fach Llangefni, at y casgliad hwn:

> Gellid dadlau fod Emrys yn ymgorfforiad o chwitchwatrwydd deallusol y Gymru fodern. Mae diffyg sylwedd ei weledigaeth gymdeithasol a gwleidyddol yn gysur i gynulleidfa. Dyma paham efallai fod yn ddrama *Beddau'r Proffwydi* yn dal i daro rhyw dant ynom fel cenedl.

Y gair y tynnir fi'n ôl ato dros y blynyddoedd, ac felly eto, yw 'ysgubol'. Mi ddaliaf o hyd mai rhan gyntaf y bedwaredd act yw golygfa fwyaf ysgubol y ddrama Gymraeg hyd heddiw, heb eithriad ... er amharu arni braidd gan gyfraith gwlad erbyn hyn. Petai hi'n *Gymerwch Chi Sigaret*? nid amherid ddim, oherwydd pwynt mawr y ddrama honno yw na oleuir y sigaret o gwbl. Ond chwith na chawn weld y mwg yn codi o getyn Huw Bennet wedi ei weithred o haelioni a chyfeillgarwch. Sonia'r Sais, a mwy fyth yr Americanwr, am y fath beth â 'corn classic'; o gofio'r tarddiad, efallai mai 'clasur india corn' a ddylem ei ddweud yn Gymraeg. Un o'r rheini yw 'Mab y Bwthyn'. Un arall yw 'The Last Days of Dolwyn'. Ac os nad yw *Beddau'r Proffwydi* yn un mi fwytaf fy het.

§

Geiriau Iesu Grist yn efengylau Mathew a Luc yw 'beddau'r proffwydi'. Dyma Mathew 23: 29-30:

> Gwae chwi, ysgrifenyddion, a Phariseaid, ragrithwyr! Canys

> yr ydych yn adeiladu beddau'r proffwydi, ac yn addurno beddau'r rhai cyfiawn. Ac yr ydych yn dywedyd, pe buasem ni yn nyddiau ein tadau, ni buasem ni gyfranogion â hwynt yng ngwaed y proffwydi.

A dyma Luc 11: 47-48:

> Gwae chwi! Canys yr ydych yn adeiladu beddau'r proffwydi, a'ch tadau chwi a'u lladdodd hwynt. Yn wir yr ydych yn tystiolaethu, ac yn gydfodlon i weithredoedd eich tadau: canys hwynt-hwy yn wir a'u lladdasant hwy, a chwithau ydych yn adeiladu eu beddau hwy.

Ar frig argraffiad cyntaf ei ddrama rhoddodd Gruffydd ddyfyniad o stori Honoré de Balzac, *Le Colonel Chabert*, sef y stori yr oedd Saunders Lewis ymhen blynyddoedd lawer i'w throi yn ddrama rymus.

> Quelque grave que fût déja ce mal invisible, mais réel, il était encore guérissable par une heureuse conclusion. Pour ébranler tout à fait cette vigoureuse organisation, il suffirait d'un obstacle nouveau, de quelque fait imprévu qui en rompait les ressorts affaiblis, et produirait ces hésitations, ces actes incompris, incompletes, que les physiologistes observent chez les êtres ruinés par leurs chagrins.

> (Pa mor ddifrifol bynnag, hyd yma, fu'r salwch cudd ond real hwn, yr oedd eto'n bosibl ei iacháu drwy ddiweddglo hapus. I lwyr ysigo'r drefn egnïol honno, nid oedd angen ond un rhwystr newydd, un digwyddiad anrhagweledig a fyddai'n chwalu'r egnïon yn eu gwendid, ac yn rhoi bod i'r petrustod hwnnw ac i'r gweithredoedd dryslyd, darniog hynny y bydd ffisiolegwyr yn sylwi arnynt mewn pobl wedi dadfeilio dan ofidiau.)

Cymeraf mai 'cette vigoureuse organisation' yw'r drefn neu'r peirianwaith sy'n galluogi dyn, os try pethau er gwell, i ymadfer wedi'r trallodion mwyaf. Daw'r geiriau yn y stori pan yw'r Cyrnol Chabert, yng ngeiriau Balzac, yn derbyn 'ergyd farwol i'w ewyllys' (dyna'r 'salwch cudd ond real'), newydd ddod i ddeall pa mor amhosibl yw iddo, yng ngolwg y gyfraith, gael yn ôl ei eiddo, ei wraig a'i enw. I fesur, fe ellir gweld perthnasedd y geiriau, ond wir nid oes cymhariaeth rhwng ymgais drasig, urddasol yr hen gyrnol a'r helbul ffarsaidd y mae Emrys wedi ei dynnu am ei ben drwy ei wiriondeb.

Gwerth crybwyll efallai fod 'Rhobert Wiliam, gŵr y 'Sgellog' wedi ymddangos flynyddoedd ynghynt, sef yn y gerdd 'Lleisiau'r Fynwent' (1906). Ond fe welir os troir ati (*Ynys yr Hud a Chaneuon Eraill*, tt. 14-15) mai cymeriad gwahanol ydyw yno.

§

Drama fach ddigon taclus, yn dibynnu ar roi coel ar freuddwyd, yw *Dyrchafiad Arall i Gymro*. Mae'r teitl yn berthnasol bob amser, ac yn arbennig berthnasol y blynyddoedd hyn, a ninnau mewn rhyw gyfnod ôl-genedlaetholaidd, neo-Victoraidd fel y mentrais ei alw unwaith neu ddwy o'r blaen, pryd y mae rhyw fri o'r newydd ar lwyddiant Cymry unigol yn y byd mawr Saesneg. Pobl byd adloniant a'r celfyddydau a'r cyfryngau yw'r rheini gan mwyaf heddiw. Math arall o Gymro dyrchafedig sydd gan Gruffydd, sef y seneddwr o Gymro a anfonwyd i Lundain i ymladd achos y werin y cododd o'i phlith. Yn hyn o beth fe berthyn y ddrama i deulu bach o ddramâu yn ymwneud â'r pwysau sydd ar y gwleidydd, ac â'r demtasiwn i wadu egwyddor unwaith yr â dyn yn rhan o'r system. Aelodau eraill o'r teulu yw *Y Ddraenen Wen* (R.G. Berry) a *Cross Currents* neu *Gwyntoedd Croesion* (J. O. Francis), ac yn y man cawn weld *Excelsior* (Saunders Lewis) mewn rhyw berthynas barodïol ag ef, fel yr oedd *Gwaed yr Uchelwyr* yn fath o barodi ar hen ddramâu'r tenant a'r meistr tir, y stiward a'r ysgyfarnog. A yw Ifan Morris yn ddarlun o gymeriad gwirioneddol, gwleidydd ac arno angen parsel bach o esgidiau i'w atgoffa o'i ymrwymiad a'i ddyletswydd, nis gwn. Tebyg mai dieuog yw Lloyd George y tro hwn, oherwydd hyd at adeg ysgrifennu'r ddrama yr oedd ef yn dal ar ei gyfeiriad o gasglu coed tân i'r tlawd a'r hen wedi'r dymestl fawr. Cyn bod inc y ddrama wedi sychu cipiwyd yntau gan dymestl arall, a throdd ei egnïon dihafal at bwrpas gwahanol. Trasiedi oedd honno ar raddfa na allodd ac na allai'r ddrama Gymraeg ymdopi â hi.

§

Cyhoeddodd W. J. Gruffydd ddwy ddrama fer arall: 'Dros y Dŵr', yn *Y Llwyfan*, 1928-9; a 'John Elwyn yn y Blac Owt', yn *Y Llenor*, 1939. Testun y gyntaf yw digwyddiad ar lan Menai yn fuan wedi gwrthryfel Jacobitaidd 1745, ac yr ail ceir gweledigaeth ryfedd llanc o Arfon ar ddechrau'r Ail Ryfel Byd. Bernais, yn gam neu'n gymwys, mai digon ar gyfer y gyfrol fach hon oedd y ddwy ddrama gynharach, enwocach. Ym 1949-50, gyda'i fab, Dafydd Gruffydd, yn cyfarwyddo, darlledwyd ar Raglen Cymru'r BBC drosiadau Gruffydd o ddwy ddrama glasurol. Cyhoeddwyd *Antigone* (Soffocles) gan Wasg Prifysgol Cymru ym 1950, ond hyd y gwn ni chyhoeddwyd *Y Brenin Llŷr*. Cofiaf yn dda ei chlywed, a'm hysgwyd ganddi, ar Ŵyl Ddewi, 1949, fy nghyfarfyddiad cyntaf â William Shakespeare, petai bwys am hynny. Wedi clywed Huw Griffith yn y storm, pwy a'i hanghofia? Ni allaf gofio clywed *Antigone*, sy'n rhyfedd braidd, oherwydd fe fyddem ni y blynyddoedd hynny, oedolion a phlant, yn gwrando'n ddeddfol ar bopeth a fyddai 'ar y Welsh', o Wil Cwac Cwac i Soffocles. Lluniodd Gruffydd ei ddau gyfieithiad meistraidd tra oedd yntau'n Gymro dyrchafedig, yn rhodio lle buasai Ifan Morris ers talwm. Ynddynt hwy y ceir ei gyfraniad disgleiriaf i fyd y ddrama.

Ond nac anghofiwn yr ysgubol, yr annosbarthol, ie yr anfarwol *Beddau'r Proffwydi*!

BEDDAU'R PROFFWYDI

BEDDAU'R PROFFWYDI

Drama mewn Pedair Act

CYMERIADAU

Robert William ... ... Gŵr y Sgellog Fawr
Emrys ... ... Ei fab
Y Parch. Azariah Evans ... ... Gweinidog Siloh, Llanddyfi
Huw Bennet, Y Gelli ... ... Blaenor yn Siloh
Dafydd Dafis, y Siop ... ... eto
Mr. Humphreys, Yr Ysgol ... ... eto
William Prichard, London House ... ... eto
John Vaughan ... ... Gŵr yr Hafod
Roberts ... ... Plisman
Alexander McLagan ... ... Cipar
Elis Parry ... ... Meistr y Tloty yn Nhre'rcaerau
James Wynne ... ... Ystiward Tir
Twm Huws ... ... Un o'r Tlodion yn y Tloty
Un arall o'r Tlodion
Porthor y Tloty
Mali William (neu Owen) ... ... Mam Robert William
Elin William ... ... Gwraig y Sgellog Fawr
Agnes Vaughan ... ... Merch yr Hafod
Ann ... ... Morwyn y Sgellog Fawr
Meistres y Tloty, Morwyn, ac amryw o Dlodion

ACT 1. *Cegin y Sgellog Fawr, tuag wyth o'r gloch.*

ACT 2. *Parlwr tŷ capel Siloh, Llanddyfi.*

ACT 3. *Ystafell fwyta gyffredin y Tloty yn Nhre'rcaerau.*

ACT 4. *Cegin y Sgellog Fawr, tuag wyth o'r gloch.*

Y mae tri mis o amser rhwng yr act gyntaf a'r ail act.

Tua dwy flynedd rhwng yr ail a'r drydedd.

Tua phedair blynedd rhwng y drydedd a'r bedwaredd.

YR ACT GYNTAF

Cegin y Sgellog Fawr tuag wyth o'r gloch y nos, yn nechrau mis Tachwedd, rhyw ugain mlynedd yn ôl. Nid yw'r canhwyllau wedi eu golau eto, ond teifl y tân wawr gynnes tros yr ystafell. Ar y llaw dde, y mae'r tân, – tân coed isel yn llosgi'n ffyrnig. Ar y llawr o'i gylch, ar y pentanau, ac yn crogi ar gadwyni, y mae crochanau a llestri o'r fath. Nid oes yma ffender o gwbl, heblaw'r hen Bero, y ci, sy'n gorwedd ar ei hyd ar yr aelwyd. Wrth y tân, ac yn ein hwynebu, y mae setl dderw drom, ac arni'n eistedd hen wraig, Mali Owen, yn gwau hosanau. Y mae'n amlwg bod ei dyddiau gweithio hi trosodd, – y mae'i dwylo'n crynu wrth drin y gweill. Mae ganddi gap gwyn – y 'cap lasiau' hen ffasiwn – am ei phen, a barclod stwff tywyll o'i blaen. Teifl ambell olwg ar y tân, a dyry ei gwau i lawr yn aml ar ei harffed, a syll yn bendrist i'r fflamau, fel pe bai'n gweled rhywbeth y tu draw iddynt. O flaen y tân, ac wrth law dde Mali Owen, y mae bwrdd crwn a lliain gwyn arno, yn barod at bryd. Y mae 'bwrdd mawr' o flaen y ffenestr sy 'mhen draw yr ystafell, ac ystenau, dysglau, platiau, a chyllyll yn dryblith arno. Ar ochr chwith y ffenestr y mae cwpwrdd tridarn, a phlatiau gleision ar y darn canol. Ar yr ochr chwith yn nes atom, y mae'r prif ddrws, yn arwain i ffrynt y tŷ; y mae drws arall y tu ôl i'r setl yn agoryd i'r tŷ llaeth (neu'r briws) ac i ddrws y cefn. Troell bach yn y gongl wrth y drws chwith, a 'chloc wyth' ar y pared wrth ddrws y briws. Cadeiriau derw yma ac acw ar hyd yr ystafell. Ar y pared, darluniau o rai o'r hen bregethwyr, ac almanac neu ddau yn cymell bwyd gwartheg, gwrtaith esgyrn, a nwyddau o'r fath. Mewn byr eiriau, gellir dywedyd bod y gegin yr un fath â phob cegin arall yn Sir Gaernarfon – neu Sir Fynwy – yng nghartre'r amaethwyr hynny sy dipyn cyfoethocach na thyddynwyr, ac eto heb ddyfod yn agos i ardderchowgrwydd ffermwyr mawr Sir Fôn a Bro Morgannwg.

ROBERT WILLIAM. (*Yn dyfod i mewn gyda llusern yr ystabl yn olau yn ei law. Gŵr bychan bywiog ei ysgogiadau, pwyllog ei leferydd: hawdd ei gythryblu, ond yn anghofio'n fuan: yn siarad llawer, ond yn gallu cadw ei gyfrinach cystal ag ungwr.*) Mae nhw wedi'ch gadael chi ar ych pen ych hun yn y twllwch, mam?

MALI OWEN. Hitia befo. Rydw i'n hen gynefin â bod yn unig, weldi; a mi fedra' i weld llawn cymint yn y twllwch, am wn i wir, – a mwy.

ROBERT WILLIAM. Wel, rhaid i ni gael lamp i'ch gweld chi beth bynnag, rhag ofn ych bod chi ar rhyw berwyl drwg. (*Yn galw*) Elin! Elin!

ELIN WILLIAM (*o'r tŷ llaeth*). Beth sydd eisio?

ROBERT WILLIAM. Dowch â thipyn o ola yma, neno'r taid; mae'r hen wraig 'i hun yn y fan yma fel pelican yr anialwch. Mae hi'n wyth o'r gloch, ac yn dywyll fel bol buwch.

MALI OWEN. Wyth o'r gloch! Wyth o'r gloch!

ROBERT WILLIAM. Welis i rioed siwn beth ag Elin yma ar ôl i Emrys ddŵad adre. Mae hi wedi pendroni'n lân; – chafodd y moch yr un tamad o fwyd bore heddiw, mi gymra' i fy llw, – a wyddoch chi beth, mam? Roedd yna flas hir hel ar y menyn yr wythnos yma, – oedd fel mae byw fi; – y tro cynta erioed ar ôl i Elin ddŵad i'r Sgellog.

ELIN WILLIAM (*yn dyfod i fewn gyda'r lamp*). Tewch â rhuo, Robert, am y menyn yna o hyd. Mae llawer mwy o hir hel wedi bod arno ar ôl 'i roi ar y bwrdd na chynt, ddyliwn i. Ydi'r golau'n rhy gry i chi, nain?

MALI OWEN. Mae'r golau'n rhy gry i mi bob amser, weldi. Rydw i jest â darfod hefog o.

ELIN WILLIAM. Peidiwch â chyboli wir, nain bach. Dydech chi ddim ond dechra byw eto. Ond oeddech chi'n deud, os ydech chi'n cofio, pan oedd Emrys yn mynd i ffwrdd i'r ysgol am y tro cynta na chaech chi byth 'i weld o wedyn, – a dyma fo wedi gorffen ac wedi cael 'i radd, – a chitha ddim blewyn gwaeth.

MALI OWEN. Amal gnoc, 'y ngeneth i, dyrr yr hen garreg. ... Mae Emrys yn ymdroi'n hir iawn yn rhywle.

ELIN WILLIAM. Chware teg i'r hogyn; ceisio meddwl y mae o'n rhywle: fedar neb feddwl dim yn y tŷ yma, – a Robert yn clebran o hyd fel prep melin, ac Ann a finna'n clocsio o gwmpas hefo'r llaeth i'r lloiau. Ond marciwch chi fod gynno fo rywbeth mawr ar 'i feddwl; mae o'n sôn o hyd y myn o wneud 'i ôl ar y wlad yma, – a fynta wedi cael cyfle mor ardderchog. Ac mae eisio rhywun i ail-bobi tipyn ar yr hen wlad, rhywun i ddysgu tipyn arni, rhywun i roi tipyn o gryfdwr yn asgwrn 'i chefn hi, a gewch chi weld mai Emrys ydi'r dyn.

ROBERT WILLIAM. Wel, tawn i'n llwgu ar y fan yma, dyma'r hen Elin yn dechra'i gweld nhw eto. Rhyngoch chi i gyd – mam yn gweld petha yn y tân, ac Ann yn stydio Geiriadur Charles, ac Emrys yn mynd i wneud tŵr melin ac eglwys, a chitha eto Elin yn siarad fel Llyfr y Diarhebion, does gen ddyn glân o Gymro ddim siawns i roi'i big i fewn.

MALI OWEN. Taw, Robert bach. Yr ydyn ni i gyd wedi bod yn cysgu'n rhy hir, – mae Elin yn iawn. ...Yr hen a ŵyr, a mi leiciwn i cyn marw weld Emrys bach yn rhoi tro yng nghynffon y bobol yma sy'n yn cadw ni i lawr.

ROBERT WILLIAM. Pam na fasa fo'n mynd yn brygethwr ynte os ydi o mor awyddus am roi tro yng nghynffonna pobol ?

ELIN WILLIAM. Mi fasa Emrys yn gneud cystal prygethwr â'r un ohonyn nhw (*yn pwyntio at y lluniau*) o ran hynny. Does gen neb air i ddeud yn erbyn 'i gymeriad o, – ond mae o'n deud y gneith o well gwaith y tu allan i'r pulpud.

ROBERT WILLIAM (*yn datod ei esgidiau*). Wel, nid meddwl y mae o heno; mi gymra' i fy llw mai troi'i draed tua'r Hafod y mae o. (*Yn tynnu ei gôt a'i rhoi ar ei fraich.*) Ydech chi'n meddwl y gneith hi wraig iddo fo, Elin? (*Yn cerdded tua'r tŷ llaeth.*) Waeth befo, o ran hynny, mae genni hi ddigonedd o arian.

(*Ann yn dyfod o'r tŷ llaeth, ac am eiliad yn aros i glywed ateb Elin William.*)

ELIN WILLIAM. Twt, twt! – mae'n rhy fuan iddo fo feddwl am briodi am flynyddoedd eto, – ac mae'r hen Vaughan, welwch chi, yn disgwyl rhywbeth gwell i Miss Agnes na mab i ffarmwr. ...Ydech chi wedi gorffen, Ann?

ANN. Do,'r cwbwl. Rydw i wedi tywallt llaeth heno i gyd i'r potia cadw.

ROBERT WILLIAM. Paid â chadw cymin arno fo'r tro yma, ngeneth i. Mae dy feistres wedi mopio wrth feddwl am Emrys, a mae rhyw bry yn dy gorun ditha, ddyliwn. (*Yn myned i'r tŷ llaeth.*)

MALI OWEN (*yn syllu i'r tân*).

'Un clefyd mewn dwy galon
Yrrodd lawer tŷ yn yfflon.'

(*Ann yn myned allan.*) Mae Ann yn rhy ddistaw i wneud morwyn dda, Elin. Mae hi cyn ddyfned â'r Llyn Du. Wyddost ti ar y ddaear beth sydd ar waelod y llyn, – faint o esgyrn pobl wedi boddi. ... Mae Emrys yn hir iawn yn rhywle.

ELIN WILLIAM. Tewch wir, nain; rydech chi'n 'y ngneud i'n bur drwblus yn 'i gylch o. (*Yn edrych drwy'r ffenestr.*) Mae hi'n dywydd garw heno, a mae nhw'n deud fod peth wmbreth o ryw hen *boachers* o'r dre o gwmpas y wlad. Mae'r sgweier wedi addo ar 'i beth mawr ynta mai'i cosbi hyd eitha'r gyfraith gân nhw. Mae o o'i go las am 'i fod o'n methu â'i dal nhw. (*Mali Owen yn ochneidio.*) Beth rydech chi'n ochneidio, deudwch?

MALI OWEN. Gweld petha rhyfedd yn y tân yma. Dwyt ti ddim yn meddwl y bydd yr hen Vaughan yn fodlon i Emrys gael Agnes, wyt ti?

ELIN WILIAM. Waeth gen i o gwbwl – ond dydi hi ddim hanner digon da iddo fo, – yr hen beth larts benchwiban iddi hi. Does genni ddim golwg o gwbwl ar y teulu, – cribddeilwyr a chrintachod ydyn nhw o hil gerdd. Ond mae Robert wedi cymryd rhyw chwilen yn 'i ben am fod yna arian yn yr Hafod, ac mae o'n meddwl –

ROBERT WILLIAM (*o'r tŷ llaeth*). Rydw i yn ych clywed chi, Elin William. Tasa fo'n 'i chael hi, fasa raid iddo fo weithio'r un cnoc byth, – mae 'na le siort ora iddo fo roi'r het ar yr hoel. Peidiwch ag ymyrraeth â'r hogyn; gadewch lonydd iddo fo.

ELIN WILLIAM (*yn codi ei llais*). Gadael llonydd iddo fo

wir! Gadael llonydd iddo fo! Os medra' i 'i gadw fo rhag syrthio i ddwylo'r Ismaeliaid, mi wna' hynny, mi ellwch chi fod yn ddigon siŵr. Ymyrraeth wir? Gan bwy mae'r hawl i ymyrraeth os nad gen i? Pwy fu'n cynilo pob dima i yrru o i'r coleg, pan oedd 'i dad o'n grwgnach fel costog bob dydd? Pwy fu'n mynd i'r capel bob Sul yn llwm ac yn dlawd er mwyn 'i gadw fo yno fel roedd o'n haeddu? Pwy oedd yn credu y basa fo'n gneud gwyrthiau yno, a phwy sy'n credu y bydd o'n broffwyd ac yn efangylydd yng Nghymru eto? Pwy ond 'i fam o? Mi ellwch chi roi caead ar ych piser yn ddigon di-lol o ran hynny!

ROBERT WILLIAM (*yn y drws yn llewys ei grys, a sebon hyd ei wyneb*). Dyna hi eto! Ar y fend i, cha' ddim agor 'y ngheg heb i chi neidio i ngwddw i. Does arna i ddim eisio fforsio'r hogyn – nac oes arna i, neno'r brensiach annwyl. Eisio iddo fo gael chwara teg sy arna i. Rydech chi'n gweld potsiars ym mhob twll a chongol, – ac Agnes yr Hafod ydi'r potsiar rŵan, ddyliwn i. Potsiar wir!

ANN (*yn dyfod i'r tŷ*). Mae Miss Vaughan yr Hafod yn dŵad ar y buarth, mistres.

ROBERT WILLIAM. Brenin annwyl! Lle mae ngholar i, Elin? Ann! wyt ti wedi hiro fy sgidia gora i? Mam! Ydi'ch gwyneb chi'n lân?

MALI OWEN. Wyt ti'n gweld y ddwy fflam groes yna yn y tân, Ann? Dyna nhw, weldi.

ANN. Ydw, nain. Ydi hynny'n arwydd o rwbeth, deudwch?

ROBERT WILLIAM. Ydi, siŵr iawn, – sein barrug; mae nghymala i yn pigo ers tridia. Mae'n rhaid imi roi tipyn o Oel Morus Ifan arnyn nhw.

ANN. Fydd arnoch chi ddim f'eisio fi eto, mistres?

ROBERT WILLIAM. D'eisio di? – bydd debyg iawn wir, – i neud cwpaned o de i Miss Vaughan. Beth wyt ti'n rhythu arna i, dŵad, fel bwch ar drana?

ELIN WILLIAM (*yn ddistaw*). Na fydd, Ann. (*Wrth Robert William.*) Dydi Miss Vaughan ddim yn deall yn dull ni yn y

Sgellog. Mae hi'n trin Ann fel y mae nhw'n trin morynion yr Hafod – fel tasa nhw'n faw dan draed. Dyna ffordd byddigions, debyg cin i. (*Ann yn mynd allan drwy ddrws y cefn.*)

(*Curo wrth y drws. Elin William yn agor i Agnes Vaughan – merch ifanc landeg wedi'i gwisgo yn y ffasiwn.*)

ELIN WILLIAM. Sut rydech chi heno, Miss Vaughan? Dowch i fewn. Mae hi'n dywyll iawn, ond ydi hi?

ROBERT WILLIAM. Ia, dowch i fewn, Miss Vaughan, a steddwch wrth y tân. (*Wrth Pero.*) Cerdd o 'ma, Pero, – rwyt ti am y lle gora bob amser, yr hen ffagwt. Steddwch, Miss Vaughan. (*Agnes Vaughan yn eistedd wrth ochr Mali Owen ar y setl y tu ôl i'r bwrdd crwn.*)

AGNES. Sut yr ydech chi i gyd? Ydech chi'n weddol, Mr. Williams? A chithe, Mali Owen?

ROBERT WILLIAM. Mae'r hen wraig yn 'i gweld nhw heno.

AGNES. Dydech chi ddim yn *superstitious*, ydech chi, Mali Owen? Does dim ond fflamau i' gweld yn y tân.

MALI OWEN. Mynd yn hen ac yn wirion rydw i. Welsoch chi mo Emrys ar y ffordd yna yn unlle?

AGNES. Naddo wir. Lle mae o wedi mynd?

ELIN WILLIAM. Roedd o'n sôn 'i fod o'n mynd i weld ych tad i'r Hafod.

AGNES. Mae'n debyg iddo gyrraedd wedi i mi gychwyn. Mi fûm i'n ymdroi tipyn tua'r siop, yn ôl f'arfer.

ELIN WILLIAM. Roedd yno ddigon o straeon, mi wranta'. Mae Mrs. Davies – a Dafydd Dafis hefyd o ran hynny – yn gwybod hanes y byd a'r Betws.

AGNES. Chlywsoch chi rioed y fath beth; doedd dim eisio imi yngan gair, dim ond gwrando. Sôn am *boachers* yr oedden nhw – (*Elin William yn edrych drwy'r ffenestr*) – a deud fod y sgweier yn *just mad* – Mae gynno fo *suspicion* o'i *tenants* 'i hun. Mae o wedi bod hefo Mr. Evans y gweinidog yn rhoi *rating* iawn iddo am beidio pregethu yn erbyn *poaching*.

ROBERT WILLIAM. Ho, felly wir! Mi gafodd damad go chwerw i gnoi gen yr hen lanc, mi dyffeia' i o.

AGNES. Do, wir. Mae nhw'n deud fod Mr. Evans wedi'i hel o dros y drws. Yr oedd Mrs. Davies yn gweld bai mawr arno am drin y *gentry* fel yna, ac yr *oedd* bai arno fo hefyd.

ELIN WILLIAM. Bai, Miss Vaughan? Ydech chi'n meddwl y dylid trin y *gentry*, chwedl chitha, yn wahanol i bobol erill?

AGNES. Wel, mae'n gwilydd i bobol gomon hel 'i dwylo hyd rai fel y sgweier – a ninna i gyd yn *tenants* iddo. Mae *Pa-pa* yn deud bob amser fod pob parch wedi marw o'r wlad ar ôl '68, ac mai ar y gweinidogion roedd y bai. Mi fyddwn ni fel teulu bron â mynd i'r Eglwys weithia: os ydi'r personiaid yn pregethu'n sâl, mae nhw'n wŷr bonheddig, beth bynnag.

MALI OWEN.

> 'Gorchest benna gŵr bonheddig
> Gwneud y tlawd yn llwm ac unig.'

AGNES. Ydech chi ddim yn meddwl peth fel yna, Mali Owen?

MALI OWEN. Dydw i'n meddwl dim byd, rŵan. ... Ydi hi'n dywyll o hyd?

ROBERT WILLIAM. Ydi fel bol – , fel *y tu fewn i* fuwch, Miss Vaughan. Mi ddaw Emrys toc.

ELIN WILLIAM. Hwyrach 'i fod o wedi mynd i gael sgwrs hefo'r gweinidog.

ROBERT WILLIAM. Wn i ar y ddaear sut y mae'r ddau yn medru cyd-dynnu, – mae Emrys yn mynd yn anffyddiwr glân, mae arna' i ofn. Dydi o'n credu dim yn y morfil, Miss Vaughan.

AGNES. Morfil! Pa forfil?

ROBERT WILLIAM. Morfil Jona, wrth gwrs – wn i ddim beth ddaw ohono fo.

ELIN WILLIAM. Tewch, tewch, Robert. Rydech chi'n rhy bendew i wybod beth sy gan yr hogyn dan 'i fawd. Hogyn da ydi'r hogyn.

AGNES. O ia, eisio bod dan ddylanwad rhywun *nice* sy arno fo ynte? Pe bai o'n byw hefo rhywun gwir grefyddol – (*Robert William yn edrych arni mewn syndod: Elin William yn gwenu*) – buan iawn y basa fo yn dŵad yn ôl.

MALI OWEN. Ydech chi'n grefyddol, Miss Vaughan?

AGNES. Ydw, rwy'n gobeithio.

MALI OWEN (*fel un yn holi 'Rhodd Mam'*). Ydi'ch tad yn grefyddol?

AGNES. Ydi-o, ydi – rwy'n ddigon siŵr ohono. Chyffyrddodd o â dafn o ddiod erioed.

MALI OWEN (*fel pe wrthi'i hunan*). Mi fydda nhad a f'ewyrth yn dŵad adre o'r farchnad o'r dre yn feddw gorn bob nos Sadwrn – (*yn torri i wylo*) – a hen bobol go lew oedd yr hen bobol. Mae petha wedi newid tipyn er hynny, pechoda newydd wedi dŵad, a'r hen bechoda ystalwm, – gwenwyn a llid a chelwydd – wedi mynd yn betha i'w canmol.

ELIN WILLIAM (*yn ei chysuro*). Ia, nain bach, ond rydech chi'n hen wraig go dda yn ôl yr hen ffasiwn a'r newydd.

AGNES. Ia, ond rhaid cael gwared o'r hen *superstitions* a'r hen bechoda. Doedd pobol ystalwm ddim yn bobol *nice* iawn.

ELIN WILLIAM. Mae Emrys yn deud y basa'n well inni fod yn debycach iddyn nhw, ym mhob peth ond 'i hanwybodaeth.

MALI OWEN. Lle mae Emrys, tybed? Oes gen ti damad go flasus yn swper iddo, Elin?

ROBERT WILLIAM. Mi geith mei lord ddŵad â'i swper hefog o gen i, fod o'n troi'i draed mor hwyr. Wn i ddim lle andros y geill o fod yn ymdroi, na wn i byth o'r fan 'ma.

(*Y drws yn agor. Emrys yn dyfod i fewn. Mae ganddo gob fawr amdano, a'i choler wedi ei chodi. Gŵr ieuanc sobr yr olwg, yn siarad yn bwyllog ond yn siriol. Mae ysgafnder ei dad yn amlwg ynddo, a meddwl treiddgar ei fam. Mae'n aros eiliad yn y drws cyn dyfod i fewn i'r gegin.*)

MALI OWEN (*yn fywiog*). Dyna ti, wir. Tyrd i fewn, 'y machgen i, ac eistedd yn y fan yma wrth ochor dy nain. Mi wna' i le i ti.

EMRYS. O'r gore, nain – ond rhoswch chi yn y lle rydech chi. Sut rydech chi heno, Miss Vaughan? Mi fûm i acw yn yr Hafod hefo'ch tad drwy'r ddechreunos.

AGNES. Rydw i'n reit dda, *thank you.* Wedi bod yn y siop yr ydw i.

ELIN WILLIAM. Mae Miss Vaughan yn mynd i aros i gael tamaid o swper, a rhaid i titha fynd i danfon hi dros y gors. Tyn dy gôt, machgen i.

EMRYS (*yn tynnu ei gôt yn araf, ac yn rhoi dau ffesant ar y bwrdd*). Adda ... ac Efa!

ROBERT WILLIAM. Yr argian fawr!

ELIN WILLIAM. Lle cest ti rheina?

MALI OWEN. Beth sy gen ti, machgen i?

AGNES. *Brace of pheasants*!

EMRYS. Llonydd i mi gael gair i fewn, neno'r tad. Nid yn aml y bydd y Sgellog Fawr yn gwledda ar fraster y wlad, aie? Wel, er mwyn i chi glywed y stori i gyd – mi ces nhw fel y cafodd y sgweier 'i dir – 'i cymryd nhw. Yr oeddwn i'n tanio mhibell wrth glawdd y winllan, ac wrth olau'r fatsian, mi welwn y pâr ifanc ar y clawdd, a chyn y base hyd yn oed 'y nhad yn medru deud 'carreg a thwll' mi sylwis fod y ddau yn 'y mhoced i. Rhaid i chitha gael côt fel hon, nhad; welsoch chi `rioed gymaint o hwyl gaech chi hyd y caeau 'na: mi dalith mam am y *game licence* hefo pres y menyn.

ROBERT WILLIAM. Sut ar wyneb daear y daethon nhw i'r clawdd, tybed ?

EMRYS. Wn i ddim, – a waeth gen i chwaith. Roedden nhw ar y ffordd fawr, ac mae gen i gystal hawl iddyn nhw â neb arall.

AGNES. Ie, ie, – ond pwy piau nhw? Rhaid cadw'r gydwybod yn lân beth bynnag.

EMRYS. Twt, twt, – cymrwch yr hyn y mae'r duwiau yn 'i anfon i chi heb holi gormod. Mi wnân ginio fory.

ROBERT WILLIAM. Hy! Cinio wir! Fasa waeth gen i gau

ngheg am y gwynt nag am beth felna. (*Wrth Elin.*) Dydech chi ddim yn paratoi swper i Miss Vaughan, Elin?

AGNES. Na wir, rydw i wedi ymdroi gormod yn barod. Mi fydd *Ma-ma* yn bur anesmwyth amdana i.

ROBERT WILLIAM. Taid annwyl, bedi'r brys? Dydech chi ddim wedi clywed Emrys yn pregethu eto ar yr hyn mae o'n mynd i neud yn y wlad yma.

AGNES. Rydw i'n gobeithio'n fawr nag ydech chi ddim yn mynd yn *agitator*, Mr. Williams?

EMRYS. *Agitator*? Ydw, – os ca' i fy nghyfle, mi leiciwn i daro un ergyd neu ddwy dros y werin yma. ... Rhaid i chi f'esgusodi i, Miss Vaughan, – mi fydda' i'n 'i cael nhw fel hyn weithia.

MALI OWEN. Pwy sydd yna? Clywch!

ROBERT WILLIAM. Neb.

MALI OWEN. Mae'r ci yma'n anesmwyth iawn.

ROBERT WILLIAM (*wrth y ci*). Bedi'r acsus sy arnat ti, yr hen lob gwirion? Clywad ogla'r ddau ffowlyn mae o, mam.

EMRYS. Wel, Miss Vaughan, gan na fedrwch chi ddim aros, mi ddo' i hefo chi dros y gors.

MALI OWEN. Mae yna rywbeth yn dŵad y tu allan yna.

ROBERT WILLIAM, ELIN WILLIAM. Meddwl yr ydech chi.

EMRYS (*yn troi'r siôl o gwmpas Mali Owen*). Mynd i'ch gwely ydi gore i chi, nain bach.

AGNES. Wel, dowch ynte, Mr. Williams. *It's getting so very late.*

(*Emrys ac Agnes yn cerdded at y drws, Emrys yn cario'r fasged. Pan ddônt at y drws, dyna guro trwm.*)

MALI OWEN. O!

ROBERT WILLIAM. Pwy gaclwm sy'n tyrfu'r adeg yma o'r nos, tybed?

ELIN WILLIAM. Rhowch y ffesant yna o'r golwg, brysiwch! (*Llaw Emrys ar y gliced.*) Rhowch nhw dan y glustog yma. (*Robert

William yn eu rhoi dan y glustog ar y setl.)

(Emrys yn agor. Y plisman, ac Alexander McLagan, y cipar, yn dyfod i mewn.)

PLISMAN (*yn llygadu o gwmpas*). Sut rydech chi yma heno i gyd, deulu diddan?

ALEX. McLAGAN. Sut i'ch chi pawb? Sut ma ti, Robert Williams?

ROBERT WILLIAM. Hel at y Feibl Gymdeithas, myn fend i! Wyddwn i ddim fod yr un ohonoch chi'n perthyn i'r seiat, – ond steddwch, nen dyn. Cadwch ych hetiau, ddynion.

(*Alexander yn eistedd ar y gadair y tu ôl i'r bwrdd crwn, – y plisman yn nes i'r drws.*)

PLISMAN. Foneddigion a boneddigesau, nid hel at y Gymdeithas Feiblau ryden ni'r tro yma, – ond yma ar berwyl y gyfraith ryden ni. Fel hyn y bu pethau, – yr oedd y bonheddwr hwn, sef Mr. Alexander McLagan, (mae'n ddrwg gennyf nad ydyw ei Gymraeg yn deilyngach o'i gwmni), a minnau wrth ein post heno tuag ugain munud wedi wyth yn gwylio am *boachers*, ac wedi aros wyth munud wrth fy oriawr …

ROBERT WILLIAM. Wats y mae o'n feddwl, Mr. McLagan.

PLISMAN. Yr oeddwn i yn mynd i ddweud, Mr. Williams, pan welsoch chi'n dda dorri ar draws fy sgwrs, inni weled dyn tua phum troedfedd deng modfedd o hyd yn dod allan o winllan y Coetmor ac yn cerdded yn bwyllog tuag atom. Pan welodd ni, trodd yn ei ôl, gan daflu rhywbeth ar y clawdd a rhedeg i ffwrdd. Wedi i ni fyned tua'r fan a'r lle, *to wit*, y clawdd, daethom o hyd i *game* wedi ei adael yno. Barnasom yn ddoeth wedi cydymgynghori, adael y *game* yno i edrych a ddeuai yn ôl i'w gyrchu. Cyn hir gwelsom rywun yn dod – y cyhuddedig yn ddiamau – a chymerodd arno olau'i bibell wrth ymyl y *game*, ond pan oeddem ar fyned i afael ynddo, clywsom dwrw ymhen draw'r winllan, ac ergyd o ddryll ...

ALEXANDER McLAGAN. Ti'n missio rŵan, Roberts,

hergyd o gwn oedd o, – fi'n nabod *sound* gwn.

PLISMAN. Dryll, machgen i, dryll, – neu yn iaith y werin, gwn. ... Erbyn i ni droi i chwilio am achos yr ergyd, yr oedd y *poacher* wedi diflannu'n hollol gyda'r *game*, – ond ar ôl dilyn ôl ei draed yn y gors y mae'n ddiamau gennym mai i'r tŷ hwn – y Sgellog Fawr – neu i rywle cyfagos yr aeth. Yn awr, yr wyf yn eich tynghedu nad atalioch oddi wrthyf ddim os gwyddoch!

ROBERT WILLIAM. Diar annwyl bach, Robaits, rydech chi'n glasurol ofnatsan las. Rhaid ych bod chi'n ola fel lantern. Ydi'ch llygad chi ar y pulpud, deudwch?

ALEXANDER McLAGAN. Ia, ond gwelis ti rwbath Robert Williams?

ROBERT WILLIAM. Y fi? Naddo, nen taid annwyl, ddyn glân. Fûm i ddim allan ar ôl swpera, yn naddo bobol?

ELIN WILLIAM. Naddo.

PLISMAN. Wel, dyna ni wedi colli'n deryn eto, McLagan. Dowch ar unwaith i chwilio amdano. Nos da, deulu, – roedd yn ddrwg genni'ch trwblo.

EMRYS. Rhoswch funud. Lle'r oeddech chi'n deud ichi adael y ddau ffesant, Roberts?

PLISMAN (*yn troi'n ôl yn sydyn*). Gadael beth deudsoch chi?

EMRYS. Wel, y ddau ffesant, siŵr – y – y – hynny yw, y gêm. Roedd yno ddau, ond oedd?

(*Y plisman a'r cipar yn troi ac yn edrych arno.*)

PLISMAN. Pwy ddeudodd wrthych chi mai dau ffesant oedden nhw?

EMRYS (*yn gynhyrfus*). Meddwl ddarum i ych bod chi'n deud fod yna ddau.

ALEXANDER McLAGAN. Ti gwbod rwbath am fo, Emris Williams?

EMRYS. Y fi!

PLISMAN. Fuoch chi allan heno?

EMRYS. Do.

PLISMAN (*yn nesu ato*). Ym mhle, mor hy â gofyn?

EMRYS. Dim o'ch busnes chi, Roberts. Ymddygwch fel gŵr bonheddig, neu mi tafla' chi allan. Peidiwch â thorsythu o mlaen i – (*yn rhoi'i fys ar fotwm canol côt y plisman*) – Pah! Cwrw a gwêr! Ddyn glân, rydech chi'n feddal fel pwdin!

ALEXANDER McLAGAN (*yn symud i'r golau*). Lle ti câl baw coch ar esgid ti, Emris Williams?

ROBERT WILLIAM. 'Run fan â'r lle cawsoch chi'ch locsyn, ddyliwn i. Fuost ti yn Sgotland yn ddiweddar, Emrys?

EMRYS. Rydech chi'n methu rhwng dau goch, nhad. Coch llwynog ydi coch Mr. McLagan. Well i chi fynd oddi yma, Mr. Cipar – mae tipin o frîd helgi yn yr hen Bero yma.

PLISMAN (*yn myned i'r gadair y tu ôl i'r bwrdd*). Mae'n rhaid imi eistedd i gymryd *notes*. Mae mwy yma nag sy yn y golwg. Yn awr, Mr. Emrys Williams, – newch chi ddweud wrthyf beth welsoch chi pan oeddech chi'n hel y baw coch yna ar ych esgidia? – er mwyn helpu gwas y gyfraith, wrth gwrs.

EMRYS (*yn eistedd ar gongol y bwrdd mawr, – y plisman yn troi ato*). Gwna, yn eno'r tad, os medrwch chi sgrifennu. Mi welis ddau ddyn yn sefyll fel dau lechgi – un yn las drosto fel pry baw, lwmp hyll o ddyn tew ffoglyd, ac un arall wrth 'i ochor o hefo locsyn coch. Mi feddylis i ar y cynta mai dau fwgan brain wedi'u codi gan ddyn dall oedd yno – ond mi sylweddolis yn y diwedd mai plisman a chipar oedden nhw.

ALEXANDER McLAGAN. Ti treio bod yn *funny dog*, Mr. Emris Williams. Fi dim werthin. Fi gneud *note* o'r peth.

(*Ann yn dyfod i mewn yn ddistaw gyda basged ar ei braich.*)

PLISMAN. Gadewch ef i mi, gyfaill McLagan. Prin rydech chi eto'n feistr ar yr hen Gymraeg. (*Yn rhoi 'i law ar y glustog.*) Mae hon ar fy ffordd i. (*Elin William yn rhoi 'i llaw i'w chadw i lawr.*) Maddeuwch i mi, Mrs. Williams. (*Yn codi'r glustog ac yn gweld y ddau ffesant.*) Oho! felly wir! Rydw i'n gweld rŵan. To be sure, doedd ryfedd wir ych bod chi'n gwbod amdanyn nhw! *Dear! Dear!* Mi roedd y sgweier yn amau'i denantiaid. (*Yn gafael yn ei het.*) Gellwch chi'i chymryd hi fel ffaith, Mr. Williams, y bydd gwarant yn ych erbyn chi, bore fory. Os ydw i – (*yn torsythu*) – dipin yn raenus fy nghâs, mi fedra' i ddal *poacher* cystal ag undyn. Hefyd, rhaid imi'ch rhybuddio y bydd popeth a ddywedwch yn cael ei godi i'ch erbyn eto. Dowch, gyfaill McLagan. Mi gawn ni orffen hyn eto! Nos da, deulu, nos da.

ALEXANDER McLAGAN. *Whiskers* lliw baw, medda ti. Lliw llwnog, medda ti hefyd. Mi câl gweld sut lliw gwyneb ti yn y *court*, Mr. *Poacher*.

EMRYS. Wel, rhag i chi orweithio'r ddau chwarter pen yna sy gynnoch chi ddim pellach, mi ddeuda' wrthoch chi mewn ychydig eiriau sut y bu hi. Gweld y ddau dderyn yma ar ochor y clawdd ddarum i wrth ola mhibell, ac mae hawl gan bawb i'r hyn welan nhw ar y ffordd fawr, debig cen i?

ROBERT WILLIAM. Oes, debyg iawn, wir, – neu mae petha wedi mynd yn od ofnatsan. Neno'r Rasmws mawr, os na cheith dyn tlawd godi dau dderyn wedi marw oddi ar y clawdd mewn gwlad efengyl, mae hi wedi mynd.

AGNES. Dywedwch y gwir, Mr. Williams. Cyfaddefwch y gwir, – bydd yn haws i chi gael trugaredd.

ELIN WILLIAM. Miss Vaughan! Ydech chi'n meddwl nad ydi Emrys yn deud y gwir?

AGNES. Wel, y fo ac Un arall sy'n gwbod hynny.

ELIN WILLIAM. Wel, os nag oes dim ond un heblaw fo'n gwbod – y fi ydi'r un hwnnw. Dydi Emrys ddim wedi gorfod arfer deud celwydd wrth gribddeilio, fel rhai pobol, Miss Vaughan.

PLISMAN. Peidiwch â chynhennu, wragedd! Caiff Mr. Williams bob chware teg i ddeud y gwir wrth yr ustusiaid ddydd Sadwrn, a chaiff sôn faint fynno fo am ymddangosiad personol swyddogion y gyfraith. Dowch, McLagan.

ANN (*yn dyfod ymlaen yn wylaidd*). 'Rhoswch funud, Mr. Roberts! ... Y fi gymrodd y ddau ffesant yna. (*Yn gostwng ei llygaid.*) Rydw i'n dymuno rhoi f'hunan i fyny i'r gyfraith.

PLISMAN. O, aie wir? Ond sut y medrwch chi gysoni'r ffaith i mi weld dyn yn 'i cymryd nhw?

ANN. Cariad ... i mi ... oedd o, ... gwas fferm heb fod ymhell oddi yma, a mi rhoth nhw i mi gynted ag yr oeddech chi wedi troi'ch cefn.

ELIN WILLIAM. Ann!

EMRYS. Beth sy arnoch chi, Ann?

PLISMAN. Lle ar glawdd pella'r Coetmor roedd y ffesants, meddwch chi?

ANN. Wrth ... wrth y ... wrth y goeden fala surion ... rydw i'n cofio'n iawn rŵan.

PLISMAN. Nage, ngeneth i, – waeth i chi beidio, – dim iws yn y byd. Ar y clawdd agosa i'r adwy las yr oedden nhw.

MALI OWEN (*yn ceisio codi*). Emrys bach!

ROBERT WILLIAM (*yn ceisio gwthio rhywbeth i law'r Plisman*). Am y tro, am y tro!

PLISMAN. Dim iws, Robert William, – dyletswydd, dyletswydd. Nos da. (*Wrth Emrys*). Mi fydda' i'n cadw golwg arnoch chi, nes bydd y papur yn ych llaw chi.

MALI OWEN (*yn cerdded at Emrys*). Emrys bach!

AGNES (*yn symud at y drws*). Wel, nos da.

EMRYS. Wel, dydi hyn ddim byd – mwy na dŵr ar gefn chwiaden. Fedrwch chi ddim mynd adre'ch hun.

AGNES. *No, thanks.* Mi af yn iawn fy hunan. Does arna'i ddim ofn *poachers* bellach; mi wn yn lle y mae nhw.

(*Agnes yn mynd drwy'r drws; Emrys yn syllu ar ei hôl. Elin William yn wylo. Mali Owen â'i llaw ar fraich Emrys.*)

LLEN.

YR AIL ACT

Parlwr tŷ capel Siloh, tuag wyth o'r gloch ar noson waith. Yn y cefn, ar y llaw chwith, ffenestr fach heb na gorchudd na dim arall arni. Ychydig yn nes i'r dde na'r canol y mae'r drws sy'n arwain i'r capel, – dyma hefyd y ffordd allan. Ar yr ochr dde, tân mawr, a phump neu chwech o gadeiriau breichiau plaen a chaledion o flaen y tân. I'r chwith iddynt, bwrdd ysgwâr a gorchudd coch arno, ac ar hynny y mae Beibl mawr, llyfr hymnau a llyfrau cyfrifon. Rhwng y bwrdd a'r drws allan, y mae mainc neu ddwy o ffawydd melyn; yn wir, ffawydd melyn yw'r holl goed sydd yna. Ar y pared, astell a thyrrau o lyfrau'r ysgol blant arni – llyfrau gleision mewn amlen bapur, a'r cwbl yn ddrylliog; pentwr o Destamentau a chloch fechan. Ar y mur, lluniau pregethwyr mewn ffrâm fawr dan y teitl 'Cenhadon Hedd.' Map o wlad Canaan; poster yn hysbysu'r 'Athrofa', cyhoeddiad enwadol; a modulator. *Yr argraff a roir arnoch gan y cwbl yw rhywbeth rhwng ysgoldy, llys bach yr ustusiaid a* waiting-room *mewn gorsaf. Lamp fawr yn crogi o'r nen, a maneg wedi ei chlymu ynddi.*

Dafydd Dafis yn eistedd yn fyfyrgar o flaen y tân. O'r capel daw sŵn gwan y dôn olaf cyn gorffen y seiat:

Dy dang - ne - fedd; Dy dang - ne - fedd,
Dy - ro in-ni - yn bar - haus.

Y drws allan yn agor, a Huw Bennet yn dyfod i fewn gan sychu ei draed yn ofalus, a chwythu allan ei fochau. Tyn ei het a'i gôt, a chymer bibell glai hir o'r gongl, a'i llenwi â 'baco'r achos' sydd ar astell uwchben y tân. Wrth wneuthur hyn, y mae'n siarad â Dafydd Dafis.

HUW BENNET. Hylo! sut rydech chi heno, Dafydd Dafis? Ydi'r teulu acw yn weddol gynnoch chi?

DAFYDD DAFIS. Wel, ydyn, am wn i, ond mae'r wraig acw'n cwyno hefo'r asma yn ofnatsan iawn. Wn i ddim beth i neud, – mae hi'n mygu'n lân.

HUW BENNET. Twt, twt; aros gormod i fewn rydech chi, yn y twll myglyd acw. Mi fydda' i yn synnu atoch chi na fasech chi'n riteirio bellach, a chitha wedi gwneud cymint o bres. Tasa'r Gelli acw yn talu hanner cystal i mi â'r siop i chi, welsa neb ôl yr un o nhraed i yn y tir byth wedyn.

DAFYDD DAFIS. Wyddoch chi ddim amdani hi, Bennet bach, – ddim. Rydech chi'n siarad fel het, ydech byth o'r fan yma. ... Sut mae nhw yn y Gelli?

HUW BENNET. Symol iawn yden ni i gyd. Mae Lowri acw yn beichio crio ddydd a nos yn ddidor derfyn; welis i'r fath beth erioed. ... Does fawr iawn o lun arna inna chwaith.

DAFYDD DAFIS. Tewch, da chi! Beth ydi'r mater? Dydech chi ddim wedi cael colled tua'r Gelli acw?

HUW BENNET. Hy! Colled wir! – dyna chi bobol y siopa bob amser yr un fath; – fedrwch chi feddwl am ddim ond colli ac ennill. Wyddoch chi beth, Dafydd Dafis – (*yn codi*) – dydw i'n hitio dim hynna – (*yn clecian ei fysedd*) – faint o golledion gaiff fy mhoced i – does genni ddim plant i boeni yn 'i cylch – os peidia'r amgylchiadau â brifo nghalon i, a f' ysbryd i. Ryden ni i gyd wedi cael dyrnod go drom, goelia' i, bawb yn yr ardal yma.

DAFYDD DAFIS. At beth yr ydech chi'n cyfeirio, Huw Bennet?

HUW BENNET. Ond wyddoch chi'n iawn gystal â finna i beth yr yden ni fel swyddogion yn cyfarfod yma heno; dyna'r clwy sydd arna i, os oes arnoch chi eisio gwbod.

DAFYDD DAFIS. Diar annwyl, fydda' i byth yn gadael i bethau amherthynasol fel yna 'y mhoeni i. Mae'n rhaid i ni fel swyddogion neud yn dyletswydd, waeth pa mor atgas fo hynny.

HUW BENNET. Nid yr hyn sydd yn mynd i ddigwydd heno, – dydi hynny nac yma nac acw yn 'y ngolwg i – nid dyna sy'n fy mhoeni i gymint, ond meddwl am y diodde y mae Robert William a'i deulu diniwed wedi gael, a meddwl am Emrys, y creadur gwirion iddo fo. Wyddoch chi be, – rydw i wedi gorfod codi gefn nos, yn methu cysgu gan gwilydd wrth feddwl amdanyn nhw! – y fi, Huw Bennet y Gelli, sy wedi dwyn mwy o ffesants nag a welodd Emrys Williams erioed, a nhraed yn rhydd yn fy nhŷ fy hun, a fy ngherdded yn sicr yn Seion, ac Emrys Williams, un o'r proffwydi hynny fydd yr Arglwydd yn eu gyrru mor anamal, yn y carchar cyffredin – (*crescendo*) – yn y jêl fel lleidr, a thacla'r llys a'r carchar yn hel 'i hen facha aflan hyd-ddo, – a hynny am ddim, ac i ddim pwrpas. (*Yn cerdded o gwmpas.*) Fyddwch chi'n rhegi weithia, Dafydd Dafis? ... Na fyddwch o ran hynny, mi wranta' ... ond rydw i newydd ffeindio fod hen eiria ddysgis i'n ifanc yn dŵad yn ôl i mi – a diolch i Dduw amdanyn nhw hefyd!

DAFYDD DAFIS. Hist! Tewch, tewch, ddyn! Beth tasa rhywun yn eich clywed chi?

HUW BENNET. Waeth gen i, waeth gen i. Beth mae hen deulu gonest, yn rhoi'r gair gore i bawb ac yn talu'i ffordd heb fod arnyn nhw ddim i neb, yn 'i haeddu oddi ar law y wlad? Rhoi'r mab yn y jêl hefo'r lladron a'r puteiniaid?

(*Drws y capel yn agoryd. Sŵn traed rhai yn mynd allan, a'r gweinidog, William Prichard a Mr. Humphreys yr Ysgol yn dyfod i fewn. Pawb yn nodio y naill ar y llall. Distawrwydd. Ochenaid ddistaw. Symud cadair. Trwst traed.*)

AZARIAH EVANS. Welis i monoch chi yn y seiat ers tro, Dafydd Dafis.

DAFYDD DAFIS. Wel, naddo – methu'n glir â gadael y siop. Mae'r hogyn acw mor ddiymddiried, a'r arian mor brin.

AZARIAH EVANS. Lle'r oeddech chi heno, Huw Bennet?

HUW BENNET. Dim blas i ddŵad yno, Mr. Evans.

AZARIAH EVANS. Wel, ie; mi alla' i'ch deall chi'n iawn. Does gen inna fawr iawn o flas ychwaith, ond yr oedd yno fwy nag arfer heno. Mae rhai pobol, os gwelan nhw rywun wedi troi'r drol, yn rhedeg o bob man i gweld hi ar lawr.

Mr. HUMPHREYS. Mr. Evans! Fydda hi ddim gwell inni fynd at waith y cyfarfod? Mae hi'n mynd yn hwyr, a gore pa gyntaf i neud gwaith diflas, meddai un o awduron y Saeson, '*Do an unpleasant task at once.*'

(*Pawb yn eistedd o gwmpas y bwrdd. Mr. Evans a'i gefn i'r ffenestr, a Mr. Humphreys gyda llyfr cofnodion wrth ei ochr.*)

AZARIAH EVANS (*yn codi'n betrusgar iawn*). Annwyl frodyr, – prin mae rhaid imi ddeud hanes yr helynt yma wrthoch chi ... y – y ... gwyddoch o i gyd gystal â minna ... os nad gwell. Wel ... fel hyn y mae petha ... rydech chi'n gweld ... mae'r ddisgyblaeth eglwysig, os ydech chi'n deall, – hynny yw, os ydw i'n gneud y mater yn glir i chwi ... rhaid i chi gofio fod y ddisgyblaeth, yn gofyn inni – mewn ffordd o siarad – (*yn torri i lawr*) – Mr. Humphreys, busnes i ddyn fel chi ydi hwn, – gwnewch chi o. (*Yn eistedd i lawr.*)

HUW BENNET (*yng nghlust y gweinidog*). Mi gneith yr hen sgŵl o wrth fodd 'i galon ... mêl ar 'i fysedd o ydi peth fel hyn.

Mr. HUMPHREYS (*mewn llais cras awdurdodol, ac yn siarad trwy'i drwyn*). Wel, gan fod Mr. Evans wedi bod mor garedig â rhoi'r mater yn fy llaw i, mi wna' i fy ngore i gyfleu'r peth o'ch blaen yn hollol gydwybodol heb droi i'r dde na'r aswy. Gwyddoch fod rheolau'n disgyblaeth ni yma yn yn rhwymo ni i ddisgyblu unrhyw un a dorro gyfraith y wlad. Yn awr, dyma'r cwestiwn sydd i'w benderfynu – beth yw torri cyfraith gwlad, ac yn ail, pwy sydd i ddweud fod y gyfraith wedi ei thorri? Ai'r eglwys sydd i ddweud ynte'r llys gwladol? Wel, does ond un ateb i'r cwestiwn yna – y llys gwladol wrth gwrs, gan mai cyfraith wladol ydi'r gyfraith. Yn awr, y mae Emrys Williams, y Sgellog, wedi'i gael yn euog o dorri'r gyfraith, ac wedi ei roi am dair wythnos yng ngharchar Tre'rcaerau. (*Huw Bennet yn tynnu ei ffunen: y Gweinidog yn rhoi ei ben i lawr.*) Felly, yr wyf fi'n dal ei bod yn unol â'n cyfansoddiad ni fel enwad ac eglwys 'i dorri o allan o freintiau'r eglwys. Ni fydd unrhyw gyngor arall a rown i'r eglwys yn unol â'n hamodau a'n haddunedau fel blaenoriaid. (*Yn eistedd i lawr, gan edrych am gymeradwyaeth o'r naill i'r llall, – dyn yn leicio clywed sŵn ei lais ei hun.*)

HUW BENNET. Rhoswch chi funud, Mr. Humphreys. Nid rhoi'r mater yn 'gydwybodol', chwedl chithau, ydi peth fel yna, ond rhoi'r ochor ddua yn erbyn Emrys. Mae yna ochor arall i'r cwestiwn. Hwyrach na fedra' i mo'i brofi o, ond rydw i'n dweud wrthoch chi – (*yn taro'r bwrdd*) – fod Emrys y Sgellog wedi diodde anghyfiawnder melltigedig. Beth sydd i ddisgwyl pan fo dim ond meistriaid tir ar y fainc? Wel, rŵan, fy syniad i am yr eglwys ydi y dylai hi unioni pob cam y mae'r wladwriaeth yn 'i wneud, ac nid 'i ddyblu o ...

Mr. HUMPHREYS. Twt, twt! Ych mympwy chi'ch hun ydi peth felna. Wyddoch chi ddim fel mae John Stuart Mill yn deud ...

HUW BENNET. Stiwart be ddeudsoch chi?

Mr. HUMPHREYS. Stuart Mill, yr athronydd enwog ...

HUW BENNET. Beth waeth gen i beth mae'r Sais y felltith yn 'i ddeud ... heblaw mod i'n gwybod 'i fod o, pwy bynnag oedd o neu ydi o, ar ochr y sgweier, fel pob Sais, – a phob sgŵl hefyd o ran hynny. Wyddoch chi be? Does gen i ddim cydwybod o gwbl fel sydd gynnoch chi ... Dydi'r Gelli acw, frodyr, ddim yn godro digon o wartheg i fforddio cadw cydwybod fel un Mr. Humphreys, ond mae gen innau yn fy nghyfansoddiad rywbeth sy'n gneud yn lle cydwybod – rhywbeth sy'n brifo, brifo, ddydd a nos, pan fydd cam yn cael ei wneud â'r gwan. Wel, heb siarad ychwaneg na hollti blew, rydw i fel un yn cynnig yn bod ni'n gadael y mater yn y fan y mae o ... a chyn hir, mi rydw i yn mynd i hel enwau i gael anerchiad a thysteb iddo fo ...

WILLIAM PRICHARD. Oes rhywun wedi bod yn siarad hefog o?

AZARIAH EVANS. Do, mi fûm i, ond soniais i air am 'i helbul o, wrth gwrs. Fedrwn i ddim, wir. Roedd y syniad fod un o ddynion ifanc goleua'r wlad yma – dyn wedi cael manteision addysg penna'r oes, dyn sydd yn mynd i'n helpu ni i ymladd yn erbyn anwybodaeth ... a drygioni, – roedd meddwl fod hogyn fel yna wedi bod yn y carchar cyffredin yn Nhre'rcaerau yn 'y ngyrru i o ngho.

DAFYDD DAFIS. Ie, – 'r 'ffordd galed,' chwedl yr hen lyfr – 'ffordd y troseddwr sydd galed.'

HUW BENNET. Hogyn wedi ei fagu yn annwyl ac yn

ofalus gan 'i dad a'i fam a'i nain ... (*Yn torri i wylo.*)

Mr. HUMPHREYS. Twt, twt! Sentiment noeth – dydech chi'n ddim ond lwmp o deimlad, Huw Bennet.

WILLIAM PRICHARD. Eh? Ydi o'n ymddangos yn edifeiriol, eh? Eh?

Mr. HUMPHREYS. Nac ydi. Mae o mor ffroenuchel ag erioed.

HUW BENNET. Beth sydd eisio iddo fo fod yn edifeiriol? Wnaeth yr hogyn ddim drwg.

AZARIAH EVANS. Naddo.

WILLIAM PRICHARD (*hen ddyn bach cneclyd tenau*). Wel, chi wyddoch i gyd na fydda' i byth yn gwthio fy syniadau ar neb, ond rhaid i mi ddeud 'y mod i'n cydweld â Mr. Humphreys yma, ynte? 'Balchder o flaen cwymp,' ynte? meddai'r hen bobol. Eh? Felly y gwelis i hi erioed. Roedd o'n deud wrthon ni yn yn gwyneba yn bod ni'n gul ac yn rhagfarnllyd, am yn bod ni'n gwrthod rhuthro i neud y petha mawr yr oedd o am neud. Ond dyna *my lord* wedi bod yn y jêl, – a ninnau'n dal yn ein parch o hyd.

HUW BENNET. Parch gythraul! – dyna chi yn 'y ngyrru i i dyngu mewn tŷ capel. Dyma'n ffordd ni yng Nghymru bob amser, ffordd William Prichard y London. Os bydd dyn i fyny, pob help iddo i fynd yn uwch, i edrych a gawn *ni* rywbeth gynno fo; os bydd y dyn ar lawr, sathrwch, sathrwch ar 'i ben o! (*Yn gafael yn ei het.*) Waeth imi fynd adre ddim, – mi wela' mai 'i ddiarddel o newch chi.

DAFYDD DAFIS. 'Rhoswch funud, Huw Bennet, peidiwch â bod mor frysiog, a da chitha, cedwch dipyn gwell rheolaeth ar ych tafod. Mae pobol y Sgellog yn gwsmeriaid da yn y siop acw, a mae nhw'n rhoi'n haelionus at yr achos hefyd, – fynnwn i mo'u digio nhw er dim.

HUW BENNET. Hy! mi wela' y gall Demas helpu'r diniwed weithia, – ond i chi ddeall cwlwm 'i bwrs o.

AZARIAH EVANS. Mae'n hawdd iawn canfod nad ydech

chi'n unfryd ar y cwestiwn yma. Os ydw i'n deall yn iawn, dydi Huw Bennet yn meddwl dim llai o Emrys wedi iddo fod yn y carchar. Mae Mr. Humphreys am fyned ar ôl 'i gydwybod, a waeth peidio siarad dim pellach hefo fo ...

Mr. HUMPHREYS. Na waeth ddim.

AZARIAH EVANS. Ac wrth gwrs, mae'i gydwybod o ar ochr y sgweier a'r ustusiaid; mae William Prichard yn gweld cyfle i dorri tipyn ar grib annuwiol y balch – a dydi Dafydd Dafis ddim wedi gorffen adio'r sym eto. Felly, ryden ni'n rhannol iawn ar y mater.

Mr. HUMPHREYS. Rhannol? Beth ydi'ch barn gydwybodol chi, Mr. Evans?

AZARIAH EVANS. Mi ddeuda' wrthoch chi mor blaen ag y medra' i. Rydw i'n mynd yn hen ddyn, ac mae'n nyddiau gorau i wedi pasio ers tro. Mi fûm i'n arfer meddwl, fel pob pregethwr arall, mai'r gwaith gora fedrwn i wneud i Grist a ngwlad oedd byw yn ddiargyhoedd oddi wrth y byd, a rhoi esiampl o fywyd pur a glân a di-fai i'r wlad. ... Mi dreies i wneud hynny – chi wyddoch na fûm i fawr o bregethwr erioed ... ond rydw inna'n dechrau blino ar fyw fel deryn mewn *cage.*

Mr. HUMPHREYS. Rydw i'n gobeithio nad ydech chi wedi newid ych barn ar byncíau mor hanfodol.

AZARIAH EVANS. Wel do, welwch chi, yr ydw i wedi wedi newid tipyn ar fy marn yn ddiweddar yma. (*Yn codi ac yn cerdded at y tân.*) Pa gamp ydi byw yn barchus i mi? Wyddoch chi 'i bod hi'n haws imi fyw yn sobor ac yn barchus na byw fel arall? ... Aha ! ... Pe baswn i yn oed Emrys Williams, ac yn gwybod yr hyn wn i heddiw, nid byw yn barchus a phlesio mympwyon hen ferched a ffyliaid fyddai ngwaith i, yr wy'n siŵr. Frodyr annwyl, fûm i erioed yng ngharchar fel Emrys, a wn i ddim a ddylwn i fod yn neilltuol o falch o hynny ai peidio. Mae William Prichard yn taflu mai dyn wedi methu ydi Emrys ... nage wir, ond i chi roi 'i gyfle iddo, a does gan neb 'i gyfle yng Nghymru os na bo fo'n aelod crefyddol. ... Ond dyma i chi hen ddyn wedi methu ... (*Yn pwyntio ato'i hun.*)

HUW BENNET. Tewch â chyboli wir, Mr. Evans ... Llawer gwaith y deudodd Emrys wrtha i mai chi roes fwya o help iddo o bawb.

Mr. HUMPHREYS (*yn wawdlyd*). Cyhuddiad go ddifrifol yn erbyn gweinidog yr efengyl ydi deud 'i fod o'n helpu pobol i garchar!

HUW BENNET. Tomos Wmffra, mae dy galon di wedi pydru oddi fewn iti ers blynyddoedd ... pah! Dafydd Dafis, ar ych pleidlais chi y mae pethau'n dibynnu; er mwyn hen bobol garedig y Sgellog, newch chi bleidleisio i gadw Emrys ym mreintiau'r eglwys?

WILLIAM PRICHARD. Wyddwn i ddim fod cael aelodaeth yn yr eglwys yn gymint yn 'i olwg o. Pa wahaniaeth wna hynny iddo fo?

HUW BENNET. Hyn. Mae'r hogyn druan wedi torri 'i galon, ac mae 'i fam o yn deud mai disgyn i iselder a dibrisio'i hunan neith o os digwydd rhywbeth yn bellach iddo fo. Tasan ni'n medru cael yr eglwys i ddangos 'i chydymdeimlad, mi fasa hynny yn 'i roi ar 'i draed eto.

DAFYDD DAFIS. Wel, does genni ddim yn erbyn yr hogyn ...

(*Curo wrth y drws. Robert ac Elin William yn dyfod i fewn yn gynhyrfus, a Robert William yn rhuthro ymlaen at y bwrdd.*)

ROBERT WILLIAM. Maddeuwch imi am ddŵad yma – fydda' i byth yn trwblo llawer arnoch chi, ond rydw i wedi perswadio Emrys, ar ôl llawer iawn o grefu, i ddŵad yma i ddeud gair o'i blaid 'i hun, os ceith o.

AZARIAH EVANS. Caiff, wrth gwrs, Robert William. Ewch i eiste munud, ych dau, i'r capel tra byddwn ni'n gorffen rhyw bwnc bach sy o dan sylw.

ROBERT WILLIAM. O gymdogion annwyl! Ffrinds, ffrinds! Nid dŵad yma i ofyn cyfiawnder rydw i, ond i ofyn trugaredd! Nid dŵad yma i amddiffyn Emrys, ond i ofyn am gymwynas ar ych llaw chi. Huw Bennet, dŵad wrthyn nhw na fu nag na grwgnach erioed i neb yn y Sgellog: dŵad wrthyn nhw mai fi, a nhad o mlaen i, sydd wedi codi gefn nos i nôl y doctor at bawb yn y pentre: dŵad wrthyn nhw na fu neb erioed ar 'y ngofyn i a mynd adre'n waglaw ...

ELIN WILLIAM. A deudwch chitha, Mr. Evans, yr hyn wyddoch chi am Emrys a'i weledigaethau – rydech chi'n 'i ddeall o ... O, fedrwch chi feddwl, frodyr, am 'i ddwylo o, dwylo cryfion i wneud petha a medrus i lunio byd newydd, fedrwch chi feddwl amdanyn nhw'n pigo ocwm? ... neu'r meddyliau fu'n ceisio cynllunio Cymru newydd yn hedeg yn wyllt hyd y wlad, a'r meddyliwr 'i hun rhwng pedwar mur carchar y sir ... A! (*Yn torri i wylo.*)

HUW BENNET. Peidiwch â styrbio'ch hunan, wir, cyn bo raid, gymdogion. Ewch i'r capel am funud, da chitha. (*Yn agor drws y capel. Y ddau yn myned allan i'r capel.*) (*Wrth y lleill.*) Rydech chi i gyd yn gweld sut mae petha. Pa raid sydd arna i i siarad dim mwy? Mi alla' inna ddeud fel Mr. Evans – mi a fûm ieuanc, ac yr wyf yn awr yn hen – ond welis i mo'r cyfiawn na'i blant yn cardota'u bara, naddo wir, nac yn cardota trugaredd ychwaith. Dafydd Dafis, ydech chi'n fodlon i neud fel yr ydw i yn gofyn? Os ydech chi, ni fyddwn yn dri yn erbyn dau.

DAFYDD DAFIS. Waeth gen i, waeth gen i – ond peidiwch rhoi'r pwysa i gyd arna i.

(*Y drws allan yn agoryd, a John Vaughan yr Hafod yn dyfod i fewn gydag Agnes.*)

HUW BENNET. Dowch i fewn, Mr. Vaughan, a chitha, Miss Vaughan. Dyma ddau, mi wranta', sydd o blaid Emrys, pe basa gennyn nhw fôt ... ac mi fydd gan Mr. Vaughan fôt yng nghyfarfod y swyddogion cyn hir, mi wranta'.

VAUGHAN. Eistedd yn y fan yna, Agnes ... Esgusodwch fi am dorri ar ych cyngor chi, – mae genni neges arbennig i'w rhoi i chi.

HUW BENNET. I bwy?

VAUGHAN. I chi fel swyddogion, a mae'n dda iawn genni fy mod i wedi medru'ch dal chi cyn ichi fynd adre. Mi wela' mai trin achos mab y Sgellog yr ydech chi, – ac rydw i'n deall hefyd fod Huw Bennet, fel arfer, yn cymryd gormod yn ganiataol.

WILLIAM PRICHARD. Ie, mab y Sgellog sy dan sylw, hi-hi! Beth sydd gynnoch chi i ddeud amdano fo, Mr. Vaughan?

VAUGHAN (*yn dyfod at y bwrdd*). Wel, mi fu'r sgweier acw heddiw am oria, fel bydd o'n arfer bob wythnos, – chi wyddoch yn bod ni'n hen ffrindia, a mi ddeudodd 'i fod o wedi penderfynu lladd dau beth sy'n uchel 'i penna yn yr ardal yma, – sef *poachio*, ac yn fwy na dim, y syniada gwylltion newyddion y mae *agitators* a phobol benboeth yn 'i hau hyd y wlad yma. Dyna'i ddyletswydd o i Dduw a dyn, medda fo ...

HUW BENNET. Y syrffed rhagrithiol, – beth mae dyn fel fo yn sôn am ddyletswydd? – y burgun sala'i gymeriad yn y wlad yma i gyd ...

VAUGHAN. 'Rhoswch chi funud, Huw Bennet, mi fydd genni damaid i chitha hefyd toc. Rŵan, am yr Emrys yna, – mae arna i eisio gwbod beth ydech chi am neud â fo; mi gewch weld fod y peth yn bwysig ... (*Y drws yn agoryd yn araf. Emrys yn sefyll wrth y drws, yn syn ac yn welw, tra fo Vaughan yn siarad, fel dyn yn cerdded yn ei gwsg. Nid oes neb wedi ei weld eto.*) Yn awr, Dafydd Dafis, yn lle y bydd y Plas yn prynu'r *groceries* i gyd?

DAFYDD DAFIS. Wel, yn y siop acw bron i gyd.

VAUGHAN. Pwy fydd yn gwneud dillad pobol y Plas, William Prichard?

WILLIAM PRICHARD. Y ni yn y London House acw bob amser; wyddon ni'n iawn faint o *badding* i roi ar 'i sgwydda fo, a'i dad o o'i flaen, hi-hi!

HUW BENNET. Ydech chi'n mynd yn ocsiwnïar yn ych hen ddyddiau, Mr. Vaughan ? ... (*Yn troi ac yn gweld Emrys.*) Hylo! Emrys, 'y machgen i; tyrd i fewn. Mae'n dda iawn genni dy weld ti. (*Emrys yn nodio o bell ar Miss Vaughan, ac yn dyfod ymlaen at y bwrdd.*)

EMRYS. Oddi wrth Herod at Caiaphas.

WILLIAM PRICHARD. Eh? beth ydech chi'n ddeud?

EMRYS. Oddi wrth Herod at Caiaphas. Mi cafwyd fi'n euog yn llys Herod, on'do? Eh, Mr. Humphreys? Rydech chi'n ddyn doeth ac yn cofio petha. Tair wythnos a llafur caled, yntê?

Mr. HUMPHREYS. Faswn i ddim yn ymffrostio yn y peth, 'y machgen i, taswn i chi.

EMRYS. Ha, ha! ymffrostio, medda fo! ... Roeddwn i'n meddwl gofyn i chi beth fyddan nhw'n neud hefo ocwm, Mr. Humphreys. Rydw i yn ych cofio chi'n deud wrthon ni yn yr ysgol ystalwm, ond fedrwn i yn fy myw gofio, pan oeddwn i yn 'i bigo fo, i beth roedd o'n da. ... Ond hitiwch befo, ewch chi 'mlaen hefo'r Sanhedrin, o henuriaid y bobl!

(*Cynnwrf wrth y drws. Ann yn rhuthro i fewn yn wyllt.*)

ANN (*yn rhedeg at Mr. Evans*). Rydw i wedi clywed y cwbl o'r hanes ... morwyn y Plas wedi deud wrtha i ... mae'r sgweier wedi gyrru Mr. Vaughan yma i geisio gynnoch chi orffen dinistr Emrys ... mae o wedi penderfynu 'i gael o dan draed. Mr. Evans, rydw i'n erfyn arnoch chi fadda iddo fo, a pheidio â gwrando ar y sgweier ... ŵyr Emrys ddim 'y mod i wedi dŵad yma ... (*yn troi yn sydyn ac yn gweld Emrys: yn rhoi'i dwylo ar ei hwyneb.*)

EMRYS. Ann, Ann, beth ydi'r mater arnoch chi? I beth rydech chi'n cynhyrfu'ch hun fel hyn? Well i chi fynd adra ... fedrwch chi neud dim ...

AZARIAH EVANS. Ewch drwy'r drws yna i'r capel ngeneth i, mae'ch mistar a'ch meistres yna yn barod.

(*Ann yn myned, a'i dwylo ar ei hwyneb.*)

VAUGHAN. Wel, ar ôl y *pantomime* yna, hwyrach y ca' i fynd ymlaen rŵan ... (*Wrth Emrys*). 'Rhoswch yma i glywed – does arna i mo'ch ofn chi. (*Emrys yn eistedd i lawr.*)

EMRYS. Rydech chi'n mynd yn foel ofnatsan, Mr. Vaughan. Mae arna i ofn nad ydi *port wine* y Plas ddim yn digymod â'ch natur chi ... Y *gout* ddaw nesa, gewch chi weld.

VAUGHAN. Hitia ti befo fy moelni i ... 'dei di byth yn

foel os torri'r gwallt yn fyr sy'n cadw'r moelni draw ... y *county crop* wyddost, ngwas i. Wel, dyma ddeudodd y sgweier, y bydd o'n disgwyl i Eglwys Siloh wneud ei dyletswydd yn y mater, sef helpu'r wlad a'r ustusiaid i weinyddu'r gyfraith ... mae o'n dibynnu arnoch chi i gyd.

EMRYS (*yn cyfrif wrtho'i hun*). Un, dau ... dau ddyn, ac un, dau ... dau siopwr ... a sgŵl. Wel, mae cael dau ddyn allan o bump yn o dda.

HUW BENNET. Taw, Emrys, hefo dy lol. (*Wrth Vaughan.*) Dydw i ddim yn ych deall chi. Beth ydech chi'n feddwl? ... Siaradwch ych meddwl mor blaen â 'dasech chi o flaen tân y *Red Lion.*

VAUGHAN (*yn anwybyddu Huw Bennet*). Yn awr, y mae'r sgweier heb dalu ei addewid eto ...

AZARIAH EVANS. Pa addewid ?

VAUGHAN. O, dydech chi ddim yn gwybod? (*Wrth Agnes.*) Mi ddylet fod wedi deud wrtho, Agnes ... Mi addawodd y sgweier i Agnes gan punt i dynnu'r ddyled sy ar y capel yma i lawr ... ac mae arna i eisio i chi gofio 'i fod o heb 'i thalu hi eto ... ond 'i fod o'n foddlon gneud yfory nesa.

DAFYDD DAFIS. Da iawn, wir, – campus, Miss Vaughan.

AZARIAH EVANS. Pa bryd y cawsoch chi'r addewid?

AGNES. O, rhyw wythnos neu ddwy'n ôl.

HUW BENNET. Oedd Emrys yn y carchar yr amser honno?

AGNES. Oedd, am wn i – ond dydw i ddim yn siŵr.

HUW BENNET. Wel, wir: feddylis i rioed 'i bod hi'n bosib cynnig breib i Eglwys Dduw mor blaen a dirodres â hynna.

EMRYS. *Dear me,* – mae'r pris yn codi yn y farchnad ond ydi o, Mr. Vaughan? Deg darn ar hugain oedd pris y Meistr ystalwm ... yrŵan, dyma'r gwas bach yn werth cant! Does gan y sgweier fawr syniad am brynu a gwerthu, nag oes, Dafydd Dafis?

DAFYDD DAFIS. Wn i ddim am hynny, ond dyma'r newydd gora ges i fel trysorydd yr eglwys yma ers talwm iawn. 'Rhoswch chi, Mr. Humphreys, dyma ni'n medru tynnu'r ddyled i lawr i drichant, ynte?

Mr. HUMPRHEYS. Ie – a thair punt yn y flwyddyn yn llai o log.

VAUGHAN. Peth arall hefyd, Huw Bennet. Mae o am edrych y bydd 'i holl ffermydd o yn cael 'i gosod i bobol onest y pen tymor nesa ... pobol yn fodlon gneud eu dyletswydd.

HUW BENNET. O aie, bygwth fy nhroi i o'r Gelli? ... Ewch i ddeud wrth y burgun aflan y caiff o fynd â'i ffermydd gydag o i golledigaeth ... (*yn cerdded o gwmpas*) ... gwas y neidr!

VAUGHAN (*yn paratoi i fynd allan*). Wel, gnewch chi fel fynnoch chi – dyna fi wedi deud sut y mae pethau.

DAFYDD DAFIS. Wel, mae'n amlwg na fedr yr un ohonon ni fforddio ffraeo hefo'r gŵr bonheddig ... Rydw i'n cynnig yn bod ni ...

EMRYS (*yn codi'n wyllt*). 'Rhoswch ! (*Distawrwydd – yn newid ei dôn.*) Fydda ddim gwell i chi fargeinio tipyn bach, i edrych gewch chi ddeugant?

WILLIAM PRICHARD. Ydech chi'n barod i syrthio ar ych bai, eh? Os buasen *ni*'n madda?

EMRYS. Pwy ydech chi yn olygu i fadda i mi? ac am beth?

HUW BENNET. Yr eglwys sydd i fadda iti, machgen i ... paid â bod mor wyllt a diamynedd, Emrys bach.

EMRYS. Madda beth ?

DAFYDD DAFIS. Y carchar a'r gwarth, wrth gwrs.

EMRYS. Dafydd Dafis ... faint o dywod sydd mewn pwys o siwgwr coch? Ar ôl i chi ateb y cwestiwn, mi gewch ddeud wrtha i faint o grefydd sydd mewn *cheque* canpunt.

DAFYDD DAFIS. Dyna hi – fel yr oeddwn i'n ofni ... mor galed ag erioed!

EMRYS. Ydw, – a chewch chi byth edifeirwch am hyn oddi wrtha i – does gen i ddim i edifarhau o'i blegid. Mi fuasa fy meddwl i o eglwys Siloh yn codi tipyn ... tasa chi'n medru pwyso gwarth carchar fel pwyso siwgwr, Dafydd Dafis ... a chitha'n medru gneud i'ch cydwybod neud tro caredig ambell dro, Mr.

Humphreys ... Ond i beth yr ydw i'n siarad? ... Rydech chi i gyd wedi gneud ych meddwl i fyny. Huw Bennet, rydech chi'n dal i gredu yna i, yn dydech chi, 'r hen law?

HUW BENNET. Ydw, machgen i.

EMRYS. Wel, gobeithio y cewch chi fyw'n hir i wasanaethu yn ... y sêt fawr yma. Os gwelwch chi rywun yn dechra breuddwydio, rhybuddiwch nhw'n erbyn cymryd ffesants oddi ar y wal. Os na wrandawan nhw arnoch chi, deudwch wrthyn nhw mai *warder* rhif 17 ydi'r caredica o ddigon, ond deall 'i ffordd o.

Mr. HUMPHREYS. Mae'n mynd yn hwyr ... rydw i'n eilio cynnig Dafydd Dafis i ofyn i'r eglwys ddisgyblu ...

(*Ann yn rhuthro i mewn: Elin a Robert William y tu ôl iddi.*)

ANN. Fedra' i ddim peidio â chlywed ... O, cymrwch bwyll. Edrychwch arno fo yn y fan yna ... ydi o'n debyg i ddyn drwg?

EMRYS. Tewch, tewch, Ann. Fedrwch chi neud dim i f' helpu i!

ANN. Mr. Evans, mi wyddoch chi amdana i a nheulu yn ddigon da – mi ges i fy magu'n dda ac yn annwyl nes i nhad gael ei ladd yn y chwarel – chwarel y sgweier, – nes i mam druan fynd dan draed y ddiod, a ngadael innau'n waeth nag amddifad. Mr. Vaughan, wyddoch chi lle dysgodd mam yfed?

VAUGHAN. Twt-twt – dos adre; rwyt ti'n mynd yr un ffordd â dy fam, faswn i'n meddwl ...

ANN. Mi ddeuda' wrthoch chi, Mr. Vaughan ... Wrth fyned i'r Plas i wnio, pan oedd hi'n wraig weddw ... ydech chi'n cofio'r sgweier a chitha'n cael hwyl wrth 'i gneud hi'n feddw a'i gweld hi'n ymlusgo adre drwy'r eira? Y greadures dlawd! Dyna un enaid yrsoch chi a'r sgweier i uffern o'ch blaen ... ac O! dyma chi yn helpu'r sgweier yn 'i waith aflan i yrru enaid arall ar goll eto. ... Na wnewch byth, mi rhwystra' i chi, ... yn enw'r nefoedd!

WILLIAM PRICHARD. Taw! Siarad yn barchus wrth dy well, y ffolog iti!

ANN. Mi fûm i ar fy ngliniau o flaen 'y ngwell – o flaen y sgweier – fis yn ôl yn erfyn arno drugarhau wrth Emrys – do, yn y lludw a'r clai o'i flaen o – yn erfyn arno fadda i Emrys, er fy mwyn i, er mwyn merch y ddynes feddw fydda'r sgweier a Mr. Vaughan yn 'i chael i'r tŷ i neud sbort iddyn nhw, pan fydda'r llwynogod yn brin, – ac mi troes fi dros y drws, a bygwth y cŵn ar f' ôl i. Rydw i'n dod yma eto ar yr un neges, at flaenoriaid y bobl – y chi, William Prichard, dorrodd mam o'r seiat ...

WILLIAM PRICHARD. Ie, ond rwyt ti'n bryderus iawn ynghylch mab dy feistr, 'y ngeneth i. Beth ydi'r mater, eh? Mae 'na ryw reswm, hi, hi!

ANN. Oes: rydw i wedi byw a meddwl llawer. Dwy ar hugain fydda' i G'langaea nesa, ond rydw i wedi byw llawer mwy na hynny mewn cyni, a diodde, a gwarth. Mi wn i beth ydi colli pob gola, a thywyllu pob ffordd: mi wn i am lyn cysgod angau a'r rhai sy'n cerdded drwyddo; mi wn i beth ydi gweiddi'r nos am y bore, a'r bore am y nos – am hynny, rydw i'n erfyn arnoch chi gadw un arall ... rhag mynd at y mwyafrif.

WILLIAM PRICHARD. Wel, mae'n rhaid i mi fynd adre, beth bynnag. Mae o wedi 'i gynnig a'i eilio yn bod ni'n diarddel Emrys Williams. Os ydi rhywun yn meddwl fod gan y sgweier rywbeth i neud â'r peth, mae o'n methu, a chan fod teulu'r Sgellog wedi mynnu dŵad yma i gael brifo'u teimlada, arnyn nhw mae'r bai. Rydw i'n gofyn i chi roi'r peth i bleidlais, Mr. Evans.

AZARIAH EVANS. Wel, pawb o blaid? (*William Prichard, Dafydd Dafis, a Mr. Humphreys yn codi dwylo.*) Yn erbyn? (*Huw Bennet a'r Gweinidog yn codi dwylo.*) Wel, dyna hi felly ... Mae o i'w ddiarddel; does gen i ddim mwy i ddeud ... heblaw hyn. Yr ydw i'n dymuno ymddiswyddo o'r eglwys yma, ac yn mynd oddi yma ...

WILLIAM PRICHARD. I ble, hi-hi?

AZARIAH EVANS. I ail ddechra hefo pobol y tafarna a'r cloddia, – y publicanod a'r pechaduriaid ... ond Duw a f' helpo i, ... rydw i'n rhy hen, rhy hen ... Wel, nos da … (*Wrth Emrys.*) Mi ddo' i'r Sgellog yfory.

HUW BENNET. Rydw inna'n dŵad hefo chi – at y

publicanod. (*Yn gafael yn ei het ac yn mynd allan.*)

(*Pawb yn symud allan. Emrys yn cysuro'i rieni, ac yn gwthio Ann allan gyda hwy.*)

EMRYS. Miss Vaughan!

AGNES. Wel? (*Yn dyfod yn ôl.*)

EMRYS. Yr ydech chi'n cofio beth ddeudis i wrthoch chi fis neu ddau yn ôl, – a be ddywedsoch chitha wrtha inna. Wel, rydech chi wedi bod yn bur ddieithr i mi byth er hynny – a mae hynny'n ddigon naturiol. Hwyrach ych bod chi'n synnu fy mod i'n cymryd yr holl gywilydd sydd wedi disgyn arna i mor ddidaro, a mod i'n medru cadw nhempar hefo'ch tad ... Wel, mae pob angor wedi gollwng ond un, ond mae hwnnw'n dal hyd yn hyn. Y chi fedr ddweud, a neb arall, sut y mae hi i fod.

AGNES. Dydw i ddim ych deall chi, Mr. Williams. Mae'n rhaid imi fynd, – mae *Pa-pa*'n disgwyl.

EMRYS. Ydech chi'n cofio beth ddeudis i wrthych chi'r noson cyn i'r plisman ddŵad i'r Sgellog?

AGNES. Ydw.

EMRYS. A'r hyn ddeudoch chitha wrtha inna?

AGNES. Ydw.

EMRYS. Wel?

AGNES. Mae popeth fel yna drosodd, *wrth gwrs*. Mi ddylech chi wybod hynny ... (*yn cychwyn allan*) ... pan aethoch chi i'r carchar. (*Exit*).

(*Emrys yn eistedd i lawr yn sydyn. Ann yn dyfod yn ôl.*)

ANN. Emrys!

EMRYS. Wel?

ANN. Dydech chi ddim am adael i hyn wneud dim gwahaniaeth i chi, ydech chi?

EMRYS (*yn taro'r bwrdd*). Ydw! Os ydyn nhw am 'y ngyrru i'r cythraul ... mi a'!

ANN. (*yn gafael yn ei law*). Dydw i ddim ond morwyn ych tad a'ch mam ... merch dynes feddw ... wedi fy magu ar y plwy ... ond gwrandewch air genni!

EMRYS. Fedrwch chi ddeud wrtha i be fedra i neud eto?

ANN (*yn betrusgar*). Na fedra'.

EMRYS. Wel, mi fedra' i ... (*Yn myned allan.*) ... Ha, ha ! ... (*I'w glywed y tu allan.*) ... Ha, ha!

(*Ann yn rhoi 'i phen ar y bwrdd ac yn wylo.*)

LLEN.

Y DRYDEDD ACT

Ystafell fwyta gyffredin y tloty yn Nhre'rcaerau. Y mae'r muriau i gyd wedi eu gwyngalchu; ar y pared pellaf, y mae dwy ffenestr hollol foel, a bariau trymion ar eu traws. Ar y llaw chwith, y mae'r drws sy'n arwain i fewn i ystafelloedd eraill y tloty, ac ar y dde, y drws sy'n arwain i'r neuadd nesaf allan. Ychydig yn nes i'r ffenestri na chanol yr ystafell, y mae bwrdd mawr heb un gorchudd arno a'r tu ôl iddo, ac o'i flaen, fainc cyn foeled â'r bwrdd. Y mae'r tân ar y llaw dde, a llyfr neu ddau ar yr astell uwch ei ben. Ar y chwith i'r bwrdd, y mae cadair neu ddwy a bwrdd llai, gyda lliain arno. Dim arall o gwbl yn yr ystafell.

Y Forwyn yn dyfod i mewn i osod pethau yn eu lle ar gyfer pryd.

Y Meistr yn dyfod i fewn ar ei hôl o'r drws arall. Dyn buan, awdurdodol. Pe buasai wedi ei eni mewn cylchoedd uwch mewn cymdeithas, buasai'n swyddog ym myddin Prydain, neu efallai yn cadw ysgol i blant gwŷr bonheddig. Gan nad oedd ganddo ddim uwch dylanwad o'i blaid na'i fod wedi priodi morwyn clarc y Gwarcheidwaid, mae'n debyg mai Meistr y Tloty a fydd ar hyd ei oes. Nid yw ei swydd wedi gwella dim arno.

Y Meistr yn mynd ac yn rhoi Beibl mawr ar y bwrdd, ac yn brysur hefo'r cyfrifon. Y Forwyn yn gorffen ei gwaith ac yn mynd allan. Cloch yn canu. Sŵn traed. Drws y llaw dde yn agor, a'r dynion yn dyfod i fewn: y merched wedyn o ddrws y llaw chwith, ac yn cymryd eu lle o gwmpas y bwrdd yn ddistaw – y cwbl mewn dillad wedi eu golchi ganwaith. Yn eu plith, Ann, â'i chefn atom, â'i llaw dan ei phen.

MEISTR (*yn taro'r bwrdd â'i law*). Rŵan, reit ddistaw a rheolaidd: mae arna i eisio i chi gofio fod y *Guardians* yn dŵad yma heddiw ...

TWM HUWS. Pwy ddeudsoch chi, syr?

MEISTR. Y *Guardians* – y bobol sy'n edrych ar ych hola chi.

TWM HUWS. Wel, wel: wyddwn i ddim fod neb yn edrych ar yn hola ni, yn y fan yma – dyna newydd i mi. Mwya fo dyn byw, mwya wêl o, a mwya glyw.

MEISTR. Sut rwyt ti'n meddwl ych bod chi i gyd yn cael bwyd ynte, os nad oes rhywun i edrych ar ych hola chi?

TWM HUWS. Wel, y Llywodraeth, debyg iawn, sy'n 'i anfon o, fel y manna yn yr anialwch. Mr. Gladstone a Mr. Disraeli sy'n cofio am y bobol anlwcus weithia – ac yn gyrru bwyd inni yma ... i'n cosbi ni.

MEISTR. Cosbi! Cosbi! Beth ydi dy feddwl di, dŵad ?

TWM HUWS. Wel, gneud inni fyw yn erbyn yn hewyllys, dyna'n cosb ni, a'r pechod wnaethon ni oedd bod yn anlwcus. O ran hynny, dyna ydi pechod pawb, ynte Mistar? Onibae am y trethi a'r arian sy'n yn cadw ni'n fyw, mi fuasen ni wedi marw i gyd ers blynyddoedd, ond fasan ni, bobol ? ... Ond chawn ni ddim. ... Os treiwch chi farw, mae nhw'n ych gyrru chi i'r jêl, ac wedyn i'r wyrcws – a dyna lle'r ydyn ni wedi marw i'r byd ac i ni'n hunain. ... 'Lle mae Twm Huws druan ?' medda rhywun. ... 'Yn y wyrcws,' medda pobol, fel tasa'n nhw'n sôn am rywun yn uffern. ... Does 'na ddim ond dau yn gwbod lle'r ydyn ni'n iawn.

UN ARALL o'r TLODION. Pa ddau?

TWM HUWS. Duw ... a'r diawl. Felly y bydda' *i* yn 'i gweld hi, beth bynnag.

MEISTR. O, felly wir. Beth wnaeth i ti ddŵad yma, os gwn i, Mr. Athronydd ?

TWM HUWS. O – drifftio ... a charedigrwydd pobol barchus. (*Wrtho'i hun*). Mi fuo gen i wraig a thri o blant, a thŷ a gardd, a Mari a Jane Liza a Twm bach, a gwraig a thŷ a gardd ... do, rywdro. Lle mae nhw heno? Mistar, lle mae nhw heno?

MEISTR. Ie – lle mae nhw heno? Da y gelli di ofyn.

TWM HUWS. Mae'r wraig a'r plant ... mewn lle na chewch chi byth fynd yno, Mistar. ... Chewch chi byth weld Twm bach. Mi werthodd y *Guardians* y tŷ a'r ardd a'r mochyn i dalu costa'r claddu a bil y doctor ... a nghadw inna yn fy salwch pan gollis i fy ngwaith. Caredigrwydd pobol, fel y deudis i, gyrrodd fi yma. Fedra pobol grefyddol garedig y pentre ddim diodda gweld hen ddyn afiach hanner call oedd wedi bod yn rhywun parchus rywdro, yn dihoeni o flaen 'i llygaid nhw ... a mi ddarun 'y ngyrru i i'r wyrcws. ... Roedd 'i clonna nhw'n rhy garedig i feddwl 'i ddal o yn y pentre o flaen 'i golwg bob dydd. ... A mi bwriwyd fi i'r môr o ango hwnnw sy'r tu ôl i eneidia pobol barchus ... sef y wyrcws.

MEISTR. Siarad ti'n fwy parchus, ac yn debycach i Gristion, 'y ngwas-i, neu mi gei di fod heb dy faco am wythnos ... !

TWM HUWS. O'r gora, syr ... dim ods. Rydw i'n gorfod gneud heb lawer o betha, a mi wna' heb hwnnw hefyd gydag amynedd. (*Wrtho'i hun.*) Mi fydda Jane Liza yn dŵad ag owns o faco neis o'r dre ystalwm ... a Twm bach yn 'i ddwyn o o'r papur. ... Wel, wel, mae petha wedi newid, ond ydyn nhw?

(*Drws o'r neuadd yn agoryd, a'r porthor yn ymddangos.*)

PORTHOR. *Casual,* syr, wrth y drws.

MEISTR. O, Cymro ynte Sais?

PORTHOR. Cymro, syr.

MEISTR. Wyt ti wedi 'i holi o? Ydi o'n lân, a sobor?

PORTHOR. Wel, mae o'n eitha sobor, ond wn i ddim beth am 'i lân o ... ond does fawr air i gael gynno fo ... un anodd 'i drin, mi dyffeia' i o, syr.

MEISTR. Hitia befo, mi trinia' i o. Ydi o'n dallt be raid iddo fod neud cyn mynd odd'ma ?

PORTHOR. Ydi, syr.

MEISTR. Rho fo yn y *Casual Ward* nes ca' i ddŵad i weld o ... nage, aros! – tyrd â fo yma, iddo fo gael bwyd gynta.

(*Porthor yn myned allan.*)

TWM HUWS (*wrth un arall o'r tlodion*). Fyddan nhw'n golchi rhai'n dŵad yma fel hyn am noson, dŵad?

UN ARALL o'r TLODION. Byddan, debyg iawn – a golchfa iawn fyddan nhw'n gael hefyd. Y tro cynta y dois i yma, fel *casual* y dois i ... a wedyn, mi ddrifftis fel titha.

TWM HUWS. Mi fasa rhywun yn meddwl 'i bod *nhw*, y bobol fawr, – y *Guardians* – yn lân ofnatsan wrth 'i gweld nhw mor byrticlar hefo ni.

UN ARALL o'r TLODION. Dydyn nhw ddim, ar fend i – ddim chwarter cyn laned â gweithiwr. ... Mi wn i am be rydw i'n siarad. Ond fel yna mae hi o hyd ... petha i'w gwthio ar y bobol dlodion ydi'r rhinwedda mawr i gyd – glendid a dirwest a phetha felly.

(*Y porthor yn agor y drws, ac Emrys yn dyfod i fewn. Mae ei farf wedi hanner tyfu, a'i ddillad yn gareiau amdano. Nid yw'n edrych i'r dde nac i'r aswy, ond yn cerdded ymlaen â'i lygaid i lawr, a phawb ond Ann yn codi'u golwg i edrych arno.*)

MEISTR. (*yn agor ei lyfr*). Wel, beth ydi d' enw di?

EMRYS. Emrys Williams.

MEISTR. Ym mha blwy y cest ti d' eni?

EMRYS. Llanfesach.

MEISTR. Beth sy arnat ti eisio yma?

EMRYS (*yn edrych i fyny'n sydyn*). O ... *suite of rooms*, a brecwast yn y gwely, a galw arna i y dydd ar ôl fory. Faint o bris fyddwch chi'n godi? ... O, dim ods, dim ods!

MEISTR. O! rwyt ti'n meddwl dy hunan yn ddoniol ofnatsan, ond wyt ti? Mi gei di weld faint fydd y pris eto. O ble dois ti?

EMRYS. O Drefeglwys ... o'r *Royal Hotel* yno.

MEISTR. Felly, – y jêl neu'r tloty. Lle rwyt ti'n mynd fory?

EMRYS. I'r cythraul.

MEISTR. Eh?

EMRYS. I'r cythraul ... rydw i ar y ffordd ers talwm ... ond heb gyrraedd eto'n llwyr. Ond ...

Rwy'n gweld y bryniau pell
Yn araf agosáu.

Mae pen y daith yn ymyl.

MEISTR. Taw, neu mi rho' i di ar fara a dŵr – y ffŵl anystyriol iti! Eistedd yn y fan yna, a bwyta, ... a phaid ti â gadael (*marcato*) ... imi ... glywed ... dim ...o ... dy sŵn di!

(*Y Meistr yn mynd allan. Y Forwyn yn dyfod i fewn, ac yn rhoi bwyd o flaen Emrys.*)

TWM HUWS (*wrth Emrys*). Rydech chi wedi dŵad i le da, ar f'engoch i ... ! Rhag ofn na wyddoch chi ddim ... potes ydi hwnna. Mae nhw'n berwi'r un ceiliog bob nos i neud o ers pan ydw i yma – ers pedair blynedd ... a phedwar ugain ... a chant!

EMRYS (*yn edrych yn graff arno, ac yn amneidio*). O, mi fûm i ar 'i salach o. Rydw i wedi bod yn bwyta *skilly*.

TWM HUWS. Wel, wel, frawd bach! Rydech chitha yn un o'r rhai anlwcus felly. Lle buoch chi yn y jêl, mor hy â gofyn?

EMRYS. Yma – yn Nhre'rcaerau.

TWM HUWS. Dwgyd?

EMRYS. Nage.

TWM HUWS. Curo plisman?

EMRYS. Nage – breuddwydio ... proffwydo ... a thorri'r tresi, bwrw'r cylchau. ... Fedra' i ddim bwyta hwn ... a ches i ddim tamaid er y bore.

TWM HUWS. Druan ohonoch chi! (*Yn sibrwd yn ddistaw.*) Mae gen i damaid o gig yn 'y mhoced ... cymrwch o, cymrwch o.

EMRYS. Diolch, frawd bach. Rydech chi wedi methu cyrraedd pen ych siwrnai, mi wela'.

TWM HUWS. Pen y siwrna?

EMRYS. Ie ... y cythraul. Dyna lle'r ydw i'n mynd. Rydw i bron wedi cyrraedd.

TWM HUWS. Rydw i yn deall. ... Beth ydi'ch amcan chi?

EMRYS. Mae arna i eisio c'ledu f' hunan ddigon ... (*yn codi ar ei draed*) ... i ladd dau neu dri o ddynion ... i gyrru nhw – (*yn pwyntio i'r llawr*) – i lawr o mlaen. Mi fydda' i'n fodlon wedyn.

TWM HUWS. Pwy sy arnoch chi eisio'i ladd, frawd?

EMRYS (*yn tynnu papur o'i logell*). Dyma nhw – rydw i wedi sgrifennu 'i henwa nhw rhag imi anghofio. William Prichard, London House, Llanfesach, *merchant tailor*; Thomas Humphreys, Llanfesach, *schoolmaster*; John Vaughan, yr Hafod, Llanddyfi, *gentleman farmer*; David Davies ...

UN ARALL o'r TLODION. Hist! Hist! Dyma'r *Guardians* yn dŵad!

(*Y drws ar y chwith yn agor. William Prichard a Mr. Vaughan yn dyfod i fewn gyda'r Meistr.*)

MEISTR. Ie, foneddigion, – dyma nhw'r teulu – 'y nheulu i fydda' i yn 'i galw nhw. (*Wrth y tlodion.*) Hitiwch befo, *boys* bach ... ewch chi mlaen hefo'ch bwyd.

WILLIAM PRICHARD. O! dyma nhw'r bobol sy'n codi'r trethi i fyny, ynte? Eh? Braster y wlad iddyn nhw, mi dyffeia' nhw, eh?

VAUGHAN (*wrth y Meistr a'r Matron, sy'n eistedd gyda'r merched*). Gellwch chi fynd allan rŵan, a'n gadael ni yma i holi tipyn ar y bobol yma. (*Y ddau yn mynd allan.*) Sut na fasa nhw yn gneud rhywbeth? Tybed y byddan nhw'n cael byd da fel hyn bob amser? ... Byth o'r fan yma, William Prichard, mai hi'n talu'n well i fod yn y wyrcws nag yn byw yn onest. (*Yn cerdded o gwmpas ac yn dyfod at Emrys.*) Sut na fasan nhw yn golchi un fel hyn? (*Yn gafael yng nghudyn ei wallt ac yn ei godi.*)

(*Emrys yn codi'n sydyn, ac yn cilio oddi wrthynt gan syllu'n graff.*)

EMRYS. Ho! ... Hylo! Dyma'r diwedd yn gynt nag y disgwyliais i. Rydw i wedi bod yn chwilio amdanoch chi'ch dau ers tro, – O, do! – a dyma ngyrfa i ar ben. Hen frawd – (*yn curo Twm Huws ar ei gefn*) – mi a ymdrechais ymdrech deg ... mi a redais ... a dyma fi ... (*Yn eistedd i lawr â'i law ar ei wyneb.*)

WILLIAM PRICHARD (*yn cilio yn ofnus y tu ôl i Mr. Vaughan*). Eh? Pwy ydi hwn, eh? Rydw i wedi 'i weld o o'r blaen yn rhywle, eh?

VAUGHAN (*yn pwyntio at Emrys*). Ewch â'r dyn yna allan; mae o'n wallgo! Pwy ydi o?

EMRYS (*yn codi'n sydyn, ac yn cerdded at y drws, ac yn ei gloi: yna'n cloi'r drws arall: wedyn yn tynnu pistol allan*). Eisteddwch i lawr!

WILLIAM PRICHARD. Beth ydi'r mater, syr? Wneis i erioed ddim i chi, ŵr da.

EMRYS (*yn darllen o'r papur*). William Prichard, London House, Llanfesach, *merchant tailor*; John Vaughan, yr Hafod, Llanddyfi, *gentleman farmer* ... Ie, dyma nhw ...

WILLIAM PRICHARD. Pwy ydi o? (*Yn dechrau llefain.*)

EMRYS. William Prichard a John Vaughan, edrychwch yn myw fy llygaid i.

ANN (*yn rhuthro o'r gongl, ac Emrys am funud yn rhoi'i law i lawr, ac yn edrych yn syn arni*). Emrys!

EMRYS. Ann!

ANN. O! Emrys, beth ydech chi'n neud?

EMRYS. Sefwch yn y fan yna ... mi ga' i siarad hefo chi eto.

ANN (*yn dyfod ato*). Emrys!

EMRYS (*yn awdurdodol)*. Eisteddwch i lawr, fel rydw i'n deud wrthoch chi. (*Wrth y tlodion.*) Ewch i'r gongol yna i gyd: wna' i ddim i chi, druain bach. (*Y tlodion i gyd yn myned i'r gongl mewn dychryn*). Yn awr, dyma fi. William Prichard, ydech chi'n fy nghofio i?

WILLIAM PRICHARD. Ydw, ... syr. Mr. Emrys Williams.

EMRYS. A chitha, Mr. Vaughan?

VAUGHAN. Ydw – rydw inna yn ych adnabod chi rŵan.

EMRYS. Wel, y fi ydi'r barnwr heno, a chitha ydi'r carcharorion. Sefwch i fyny yna.

(*William Prichard a John Vaughan yn sefyll i fyny.*)

EMRYS (*yn eistedd i lawr y tu ôl i'r bwrdd*). Dacw'r *jury*, y tlodion acw. ... Yn awr, William Prichard, rydech chi dan y cyhuddiad o fod o wirfodd calon wedi difetha fy mywyd i – wedi fy lladd i. Beth ydi'ch amddiffyniad chi? Atebwch ar unwaith.

WILLIAM PRICHARD (*yn crynu*). Eh? ... Eh? ... Dim ond dyletswydd.

EMRYS (*yn codi'r pistol*). Y gwir ... neu ...!

WILLIAM PRICHARD. Arhoswch, syr! I gyfadde'r gwir i chi, syr – cenfigen oedd gen i atoch chi, os oes arnoch chi eisio'r gwir.

EMRYS (*yn synnu*). Eh? Beth ddywedsoch chi?

WILLIAM PRICHARD. Cenfigen.

EMRYS. Pam? Beth oedd yr achos?

WILLIAM PRICHARD. Wel, syr ... (*yn mwmian ...*)

EMRYS. Siaradwch yn uwch.

WILLIAM PRICHARD. Mi wyddoch ych bod chi wedi curo John ymhob peth, ac yr oeddwn i wedi crafu a chynilo pob dima i wneud gŵr bonheddig o John, ... ac yr oeddwn i wedi methu.

EMRYS (*yn rhoi'r pistol i lawr*). O! rydw i'n gweld. Lle mae John?

WILLIAM PRICHARD. Mae o wedi priodi.

EMRYS. Lle *mae* o? Beth mae o'n wneud?

WILLIAM PRICHARD (*yn torri i wylo*). Dim syr, – dim ond gwario pob dima yn y *Red Lion*. Mae gynno fo bedwar o blant, a finna'n gorfod 'i cadw nhw i gyd – mae'r dafarn yn mynd â phob dima mae o'n ennill. ... Rydw i wedi gwario'r cwbwl hefo fo, ac wedi f' ysigo am byth. Mi fûm i'n gobeithio ...

EMRYS. O! mi fuoch chitha'n gobeithio, felly. (*Yn ysgrifennu rhywbeth ar bapur.*) Rhaid imi gofio hyn. Gobeithio beth?

WILLIAM PRICHARD. Y basa John yn gredyd imi ac i'r wlad – ond mae o'n sotyn diobaith.

EMRYS. Diobaith ...

TWM HUWS. Beddau'r blys!

EMRYS. Cibroth-Hatafah – beddau'r blys. Mae'r wlad yma'n llawn o feddau, William Prichard, – beddau'r proffwydi ...

WILLIAM PRICHARD. A chyfyd o byth, syr, byth.

EMRYS. Yn awr – ar ych llw – codwch ych llaw – ar ych llw o flaen Duw – nid Duw'r sêt fawr, ond y Duw hwnnw sy'n edrych ar ôl y rhain. (*Yn pwyntio at y tlodion.*) Cenfigen ynte dyletswydd a'ch cymhellodd chi i fy niarddel i?

WILLIAM PRICHARD. Rydw i'n syrthio ar fy mai o flaen Duw – cenfigen, a dim arall.

(*Emrys â'i ddwylo ar ei wyneb, â'i ben ar y bwrdd. Curo mawr wrth y drws. Emrys yn neidio i fyny, ac yn troi'r pistol at John Vaughan.*)

EMRYS. Ewch at y drws: agorwch: a dywedwch wrthyn nhw am fynd i ffwrdd a'n gadael ni'n llonydd. Dywedwch gelwydd i'w twyllo yn ych dull digymar ych hun. Cofiwch ... mae angau yn ych ymyl. (*John Vaughan yn agor y drws yn gilagored.*)

VAUGHAN. Hym! Gadewch inni am funud yma, Mr. Parry, ... mi fasen ni ... hy ...

EMRYS. Yn hoffi cael llonydd.

VAUGHAN. Yn hoffi cael llonydd.

EMRYS. Am ryw chwarter awr.

VAUGHAN. Am ryw chwarter awr.

EMRYS. I holi tipyn ar y bobol yma.

VAUGHAN. I holi tipyn ar y bobol yma.

EMRYS. Ac i weinyddu barn. (*Gyda phwyslais.*)

VAUGHAN. Ac i weinyddu barn.

MEISTR. O! popeth yn iawn, Mr. Vaughan! Methu deall yr oedden ni pam roedd y drws wedi'i gloi.

EMRYS. Caewch y drws. (*John Vaughan yn ei gau.*) Clowch o. (*John Vaughan yn ei gloi.*) Foneddigion a boneddigesau, y mae'r cyhuddedig, William Prichard, yn pledio cenfigen yn esgus. Oes yma rywun i ddweud gair o'i blaid, neu i'w erbyn?

(*Ann yn dyfod ymlaen.*)

EMRYS. Ych enw?

ANN. Ann.

EMRYS. Gwaith?

ANN. Dim – yn y tloty.

EMRYS. Dywedwch ar f' ôl i. 'Rwy'n mynd i ddweud y gwir, yr holl wir, a dim ond y gwir.'

ANN. Rwy'n mynd i ddweud y gwir, yr holl wir, a dim ond y gwir. ... Roeddwn i'n nabod 'i dad o ... bu farw'n hen ŵr. Dyna oedd *mainspring* 'i fywyd yntau, cenfigen. Roedd o'n ddyn caredig at bawb, ond at bobol oedd yn uwch neu'n well nag o. ... Chafodd William Prichard ddysgu dim arall erioed. Y nefoedd fawr, Emrys, dydech chi ddim yn deall? Chwythodd yr un chwa o'r awelon iachus ar enaid William Prichard erioed, i yrru'r cymylau i ffwrdd. Doedd o'r un o'r etholedigion ... un o'r rhai hynny sy'n eistedd yng Nglyn Cysgod Angau, heb weld y golau mawr. ... Ddaeth yr efengyl erioed i'w wlad o ...

EMRYS. Ann, ewch i'ch lle ... diolch i chi. Doeddwn i

mo'ch nabod chi o'r blaen, mi wela'; rydech chi wedi cael mwy o ysgol na mi. William Prichard, ewch acw ... at y tlodion eraill!

(*William Prichard yn mynd i'r gongl at y tlodion.*)

EMRYS. Yn awr, John Vaughan, beth oedd ych rhan chi yn 'y ngwarth i?

VAUGHAN. Doedd gen i ran yn y byd!

EMRYS. O'r gore. (*Yn codi'r pistol.*)

VAUGHAN. Arhoswch, Mr. Williams. Mi ddeuda' i ...

EMRYS. Ie – mae'n well i chi.

VAUGHAN. Y sgweier wnaeth imi fynd at y blaenoriaid yn Siloh, i'ch cael chi o'r seiat. ...

EMRYS. Ie, ond doedd arnoch ddim eisio hynny'ch hun?

VAUGHAN. Nac oedd, ar fy ngwir.

EMRYS. O! *snobbery*, taeogrwydd, gwaseidd-dra at y sgweier oedd yn ych cymell chi felly?

VAUGHAN. Nage, nid hynny chwaith. ... Roedd y sgweier wedi rhoi pedwar cant o bunnau'n fenthyg i mi ...

EMRYS. Oho! – pedwar cant ... i beth?

VAUGHAN. I dalu'r diffyg yn 'y nghyfrifon i fel trysorydd y Clwb. ... Yr oeddwn i wedi gwario arian nad oedd yn perthyn i mi.

EMRYS. Ann! sefwch yma. (*Ann yn dyfod ymlaen.*) Ydi hyn yn wir?

ANN. Ydi. Mi glywis 'y mam yn dweud lawer gwaith. Yr oedd y sgweier wedi gwneud Mr. Vaughan yn gi bach iddo, i wneud popeth, – i redeg ac i gario, i gyfarth ac i frathu. Chafodd dynoliaeth John Vaughan ddim cyfle i dyfu – roedd hi wedi 'i chrybachu o'i ienctid.

EMRYS. Ho! felly wir ... ! Wel, John Vaughan, steddwch ar lawr wrth draed yr hen ŵr acw. (*John Vaughan yn eistedd.*) Rydw i'n deall yn awr am y tro cynta, – druan ohonoch chi'ch dau. Rydech chi wedi colli llyw ych llong, ac yr ydech chi ar drugaredd yr un gwynt a'm chwythodd inna ar y creigia. Doedd gynnoch chi ddim help, debyg, – ysbryd gwenwyn o uffern yn gyrru un, canlyniadau hen bechod yn gyrru'r llall. Codwch ych dau, a dowch allan yma. (*Y ddau yn dyfod ymlaen.*) Rydw i'n madda i chi ... O, na! nid am 'y mod i'n faddeugar, chwaith ... ond rydw i'n deall ac yn tosturio wrthoch chi'ch dau ... ond mae arna i ofn nag oes dim wyrcws i rai fel chi. ... Ewch mewn heddwch. Rydw i'n gofyn un peth fel addewid gynnoch chi cyn ych gollwng chi ... peidio gyrru'r plisman na neb arall ar f'ôl am chwarter awr ... mae arna i eisio hynny o amser i ail-wneud y byd ... a mi fydda' i'n barod wedyn.

WILLIAM PRICHARD. Rydw i'n addo, machgen i ... mae'r gwenwyn oedd gen i atoch chi wedi darfod ...

JOHN VAUGHAN. A finnau hefyd ...

(*Pawb yn mynd allan yn araf. Twm Huws yn agor ar ôl eiliad, ac wrth basio yn troi ato.*)

TWM HUWS. Mi gollis wraig a phlant, a thŷ a gardd, a dyma fi yn y wyrcws, ... ond chollis i mo f' enaid, 'y machgen i. Pa lesâd i ddyn os deall ef bopeth ... a cholli 'i enaid ei hun?

EMRYS. Beth ydi'ch meddwl chi, frawd?

TWM HUWS. Cymrwch ofal ... byddwch yn gapten ar ych llong, beth bynnag ... pa un bynnag ai yn y porthladd ai yn nannedd y storm y bo ... ydech chi'n deall?

EMRYS. Ydw – rydw i yn deall ... ond dydi'r llong ddim yn werth 'i chadw ... mae'r llygod mawr wedi'i gadael hi i gyd.

(*Emrys yn cerdded o gwmpas, yn gafael yn y pistol, ac yn ei roi wrth ei ben: yn ei daflu i lawr, ac yn ei godi drachefn. Drws yn agor. Ann yn rhuthro i fewn, ac yn taro'r pistol i lawr.*)

ANN. Emrys! Eisteddwch i lawr, – a deudwch ych hanes ... deudwch y breuddwyd, ac hwyrach y medra' i 'i esbonio fo i chi. ... Os mynnwch chi farw yn y diwedd, mi fydda' i farw hefo chi.

EMRYS. Ann, dydw i ddim yn ych deall chi'n iawn ... mi ddylwn fod wedi treio nghynt, ac hwyrach y buasai hi'n well arna i. Beth sydd arnoch chi eisio hefo mi?

ANN. Codi a byw!

EMRYS. Codi a byw! Codi a byw! Wyddoch chi fy hanes

i yn ystod y pedair blynedd dwytha? Wel, mi ddeuda' i wrthoch chi. Mi eis i'r jêl yn ddiniwed, fel y gwyddoch chi – ac wedi dŵad allan, mi gollis 'y mharch. Mi bwriwyd fi o'r seiat, a dydw i ddim yn ddigon o ffŵl nag ydw i'n gwbod be 'di hynny. Doeddwn i ddim yn mynd i aros ar drugaredd fy nhad a mam, a'u tynnu nhw i'r llaid ar f' ôl, ... a mi benderfynis fynd i Canada i fod o olwg Cymru a Chymraeg, a chapel a sgweier am byth. Doedd gen i ddim arian ... ac er mwyn talu'r *passage*, mi ddygis ddegpunt o dŷ yn sir Gaer – tŷ sgweier fel yn sgweier ni, – a doedd hynny yn ddim ar 'y nghydwybod i ... mi wyddwn 'y mod i'n gwneud gwasanaeth i'r wlad drwy'i dwyn nhw. Ond mi daliwyd fi ym Montreal, ac mi ddois yn ôl yma ... am ddeunaw mis o lafur caled yng ngharchar Caer. Wel, dyma fi, Ann, cyfaill lladron a phuteiniaid, *jail-bird*, dyn wedi byw yn y baw! Ann, rydech chi'n ddigon call i wybod nag oes dim esboniad arall ar y mater ... dyma'r unig ffordd ... (*Yn codi'r pistol i fyny.*)

ANN. Ie, dyma'r unig ffordd ... (*yn cipio'r pistol*) ... ond y fi'n gynta.

EMRYS. Na, na, Ann annwyl, ... gadewch i mi glywed rhywbeth mwy gynnoch chwi. Pam rydech chi'n poeni cymint o fy achos i?

ANN. Wel, waeth i mi ddweud bellach ... rydech chi'n ddall iawn. Faint o bobol, meddwch chi, sy'n dal i ymddiried ynoch chi?

EMRYS. A! dyna hi! Faint? ... Debyg gen i fod fy nhad a mam yn dal i ngharu i o hyd ... druain ohonyn nhw ... ond ymddiried? Nac oes, neb.

ANN. Oes.

EMRYS. Nac oes.

ANN. Oes, un.

EMRYS. Pwy ydi o?

ANN. Y fi – dae waeth am hynny. Ond dydw i fawr credyd i neb. Mae rhyw ginc yna i; rhyw dro yn 'y natur i. Mi roes marw mam a'ch anffawd chitha rywbeth yn 'y nghalon i, sydd wedi ngyrru i yma ac acw ar draws y cefnfor, ... ond mae un peth wedi aros.

EMRYS. Beth ydi hwnnw?

ANN. Wel, rydw i'n ddigon digwilydd i ddeud ... 'y nghariad i atoch chi, Emrys. Dydi hwnnw ddim llai na'r diwrnod pan ddaethoch chi adre o'r coleg, hefo'ch cenhadaeth fawr i werin Cymru ... na, mae o'n fwy!

EMRYS (*yn gafael yn ei llaw*). Druan ohonoch chi, Ann! Dydech chi ddim yn gwbod beth fûm i yn 'i wneud. ... Ga'i ddeud wrthoch chi?

ANN. Na – does dim eisio, a waeth gen i chwaith.

(*Emrys yn cerdded o gwmpas.*)

EMRYS. Wel, beth fydda ora i wneud? (*Yn gafael yn y pistol.*)

ANN. Treio un fordaith ar yr hen gefnfor eto.

EMRYS. Sut y medrwn i?

ANN. Gyda'n gilydd – mi ddo' i hefo chi, os ca' i.

EMRYS. Glywsoch chi fi'n deud i'r lle rydw i'n mynd?

ANN. Do – i'r cythraul. Mi ddo' i hefo chi.

EMRYS. Dyna hi eto – rydech chi – a finna hefyd – yn methu. Rydw i'n *failure* ymhob peth. Rydw i wedi methu mynd i'r nefoedd ers tro ... mi gwelsoch fi'n methu mynd i'r cythraul gynna ... pan faddeuais i William Prichard a Mr. Vaughan. Fedra' i neud dim. ... Mae Duw a'r cythraul wedi ngwrthod i.

ANN. Ddaru chi erioed feddwl mai wedi bod yn cerdded y gors gyntaf – Cors Anobaith – yn Nhaith y Pererin yr ydech chi yn ystod y pedair blynedd yma? ... Dysgu'r ffordd?

EMRYS. Naddo, wir.

ANN. Gaiff Cristiana a Christion ddringo o'r gors hefo'i gilydd y tro yma?

EMRYS (*yn chwerthin*). Ha, ha! Rydech chi wedi dysgu donioldeb yn rhywle. Beth ydi'r cam nesa meddwch chi?

ANN. Hwn! (*Yn taflu'r pistol drwy'r ffenestr.*)

EMRYS. Beth wedyn?

ANN. Rhywbeth fynnoch – ond adawa' i monoch chi byth

eto. Mi ddo' i hefo chi'n forwyn i lanhau'ch sgidia chi, os na chymrwch fi yn wraig ... a chymrwch chi mohona i, mi wn, wedi clywed f' hanes i, a sut y dois i i'r wyrcws yma.

EMRYS. Ydi o'n ddrwg?

ANN. Ydi.

EMRYS. Drwg iawn?

ANN. Ydi, drwg iawn.

EMRYS. Bendigedig! – gore'n y byd ... ond Ann?

(*Yn rhoi'i law ar ei hysgwydd.*)

ANN. Wel?

EMRYS. Mi gewch 'i ddeud o wrtha i ... ar ôl inni adael y gors ... pan fydd y pererinion yn eistedd dan y palmwydd. Hyd hynny, peidiwch a sôn. ... Wel, wir dyma garu go od, goelia' i?

ANN. Rhyfedd iawn ... Emrys bach, ond dydi hyn ddim wrth y rhyfeddodau ddaw eto. (*Emrys yn nesu ati.*) Na! Ddim eto ... wrth ddrws y jêl pan ddowch chi allan. Mae nhw'n siŵr o'ch gyrru chi yno am hyn. Mi fydda' i yno'n disgwyl.

(*Curo wrth y drws. Roberts y plisman yn dod i mewn.*)

ROBERTS. Wel, wel. Job ffiaidd ydi job plisman, Mr. Williams. Mae arna' i ofn bod rhaid imi fynd â chi eto.

EMRYS. Rhaid, *sergeant*; mi ddo' i'n ufudd. Rydw i wedi madda i chi ...

ROBERT. Wel wir: mae gan Dduw ffordd ryfedd i godi proffwydi, Mr. Williams. Ambell dro, mae o'n 'i codi nhw o'u beddau. Mae o wedi gwneud hynny cyn heddiw.

EMRYS. Wel, wel, pwy ŵyr? Nos da ... Anwylyd – rhyfeddod yr holl fyd.

LLEN.

Y BEDWAREDD ACT

Cegin y Sgellog Fawr, fel yn Act 1, tuag wyth o'r gloch y nos. Y mae'r setl wedi ei gwthio'n ôl, a lleithig yn ei lle, a Robert William yn gorwedd arni. Y mae Elin William yn dyfod i fewn o'r tŷ llaeth: y mae'r ddau wedi heneiddio llawer, a'u bywiogrwydd wedi darfod bron i gyd. Y mae Elin William yn trefnu'r cwrlid sydd tros ei gŵr, ac yn eistedd yn ddistaw o flaen y tân.

ROBERT WILLIAM. Mae o'n ddigon hir yn dŵad, ond ydi o? Tuag wyth o'r gloch ddeudodd o y bydda fo yma.

ELIN WILLIAM (*yn edrych ar y cloc*). O, mi ddaw toc. ... Dyn clên iawn ydi o, medda pawb. Piti na fasa fo'n stiwart ers talwm.

ROBERT WILLIAM. Piti na fasa'r hen sgweier wedi marw, ydech chi'n feddwl. Mae pob stiwart, welwch chi, yn newid 'i liw i siwtio'i fistar. Mi fasa hyd yn oed yr hen Jackson yn eitha dyn, tasa'i fistar o'n debyg i rywbeth. ... Glywsoch chi rywun yn deud sut y mae Huw Bennet, deudwch?

ELIN WILLIAM. Mae o'n codi allan rŵan, medda nhw, ond roedd Lowri Bennet yn deud mai digon gwanllyd ydi o o hyd.

ROBERT WILLIAM. Ydi o wedi toi 'i wair eto?

ELIN WILLIAM. Ydi.

ROBERT WILLIAM. Wel, wel ... cha' i doi'r un das byth eto ... yn y Sgellog beth bynnag. Ychydig feddylis i y basa ni'n mynd heb ddim, fel hyn, wedi i ni gynilo ar hyd yn hoes ... Elin!

ELIN WILLIAM. Wel?

ROBERT WILLIAM. Mi freuddwydis i'r pnawn yma, fy mod i yn 'i weld o ... Emrys, pan oeddwn i'n cysgu'n y fan yma ar 'y mhen fy hunan.

ELIN WILLIAM (*yn wylo*). Mi fydda' i yn 'i weld o bob nos bron. ... Heblaw mod i'n cael breuddwydio amdano fo, mi faswn i wedi marw ers blynyddoedd.

ROBERT WILLIAM. Wel, wel: waeth i ni beidio â styrbio'n hunain yn sôn amdano fo; ... mae popeth wedi mynd yn ddigon main arnon ni.

(*Distawrwydd. Cnoc wrth y drws. Elin William yn codi.*)

ELIN WILLIAM. Dyna Mr. Wynne wedi dŵad. (*Yn agor y drws.*) Bobol annwyl! Huw Bennet! Sut daru chi fedru cerdded mor bell?

HUW BENNET (*yn dyfod i mewn ar ddwy ffon*). Wel, gymdogion, sut mae hi yma heno?

ROBERT WILLIAM. Hylo, Huw Bennet, sut rwyt ti ers talwm? ... Mae'n dda gen i dy weld ti. ... Rwyt ti'n mendio o mlaen i eto. Tyrd yma. (*Y ddau yn ysgwyd llaw.*)

ELIN WILLIAM. Steddwch yn y fan yna, Huw Bennet. Rydech chi wedi blino, mi wranta'.

HUW BENNET (*yn eistedd*). Wel, tawn i'n llwgu'r munud 'ma ... toes dim golwg dyn sâl arnat ti, nag oes wir. Mi fyddi di o gwmpas dy betha ymhell o mlaen i eto, gei di weld.

ROBERT WILLIAM. Na, weldi, does dim feder 'y ngwella i bellach. ... Mae hi wedi mynd yn rhy ddiweddar. Ond wyddost ti beth? Mi fydda' i'n meddwl weithia, cawn i weld Emrys yn sefyll ar y llawr yna, yn wych neu'n wael, yn dda neu'n ddrwg, ... y medrwn i neidio gyn uched â'r distia yna. Medrwn, myn fend i!

HUW BENNET. Wel, wel ... pwy ŵyr? Ond i ddeud y gwir wrthyt ti, mi ddylet gael hwsmon yma i d' helpu, gan na fedri di fynd o gwmpas dy hunan. Rydw i wedi sylwi fod y gwrychoedd yna wrth y gadlas yn flêr ofnatsan las. Mi yrra' i Twm y gwas acw i daclu tipyn yma fory.

ELIN WILLIAM. Diolch i chi'r un fath, Huw Bennet, ond waeth i chi beidio ddim. Ryden ni wedi gyrru am Mr. Wynne y stiwart i ddŵad yma; mi addawodd fod yma erbyn wyth.

HUW BENNET. Wynne y stiwart newydd? I beth? ... i ddeud wrtho fo lle ma'r hen sgweier wedi mynd?

ROBERT WILLIAM. Nage. ... Wn i mo hynny, er gwaethed dyn oedd y sgweier ... Hwyrach fod y Brenin Mawr wedi cael lle hyd yn oed i'r sgweier yn un o'r llawer o drigfannau sydd yn 'i dŷ.

HUW BENNET (*yn codi*). Nag ydi, myn gafr i! ... os nag oes gan y Brenin Mawr gytiau moch yn 'i drigfannau, ac os nad ydi popeth ddysgis i yn yr Ysgol Sul yn ffwlbri. ... 'Lle nad â i fewn ddim aflan na halogedig.' Mi elli di fod yn ddigon tawel dy feddwl, Robert, na weli di mo dy drwblo eto gan y sgweier, yr ochor yma na'r ochr arall. ... Ond dywed i mi, beth sydd arnat ti eisio hefo Mr. Wynne?

ROBERT WILLIAM (*yn rhoi'i ben i lawr yn ddistaw*). Rhoi'r Sgellog yma i fyny.

HUW BENNET. Rhoi'r Sgellog i fyny ? (*Mewn llais isel.*) Beth ydi'r mater?

ROBERT WILLIAM. Rydw i, fel y gweli di, wedi mynd yn rhy wael i ffarmio byth eto ... . rydw i wedi colli pob deleit yn y ffarm yma. Wyddost ti faint o arian sy genni at y rhent nesa? Elin, dowch â'r jwg i lawr.

ELIN WILLIAM (*yn myned at y dresel ac yn tywallt arian o'r jwg ar y bwrdd*). Dyma nhw, Huw Bennet, ... pedair punt a saith a dima ... i dalu haner canpunt o rent.

(*Distawrwydd mawr am hir amser.*)

HUW BENNET (*yn sydyn*). Faint ydi gwerth y stoc yma a'r dodrefn?

ROBERT WILLIAM. Does fawr gwerth yn y stoc: ryden ni wedi gorfod madal â phopeth o ddim gwerth ... does yma ddim gwerth trichant rhwng y cwbwl. Mae'n rhaid i ni roi ocsiwn ar y cwbwl ... hen betha 'y nhad a nhaid a f' hen daid o mlaen i.

HUW BENNET. Rŵan, gymdogion, newch chi addo wrtha i gadw'ch cegau ynghaead am bum munud? Mae arna i eisio sgwennu. Inc, Elin William, a phwt o gwilsyn.

(*Elin William yn dyfod ag inc a chwilsyn oddi ar y dresel. Huw Bennet yn tynnu* cheque-book *o'i boced ac yn ysgrifennu.*)

HUW BENNET. Be newch chi ag ocsiwn, deudwch? Ocsiwn wir! Os ydi trichant yn ddigon gen ti, mi bryna' i'r stoc i gyd rhag trafferth ... dyna *cheque* i ti amdanyn nhw. (*Yn estyn* cheque *i Robert William.*)

ROBERT WILLIAM (*yn edrych yn hir ar y* cheque). Hm! Ddaru mi rioed feddwl y basat ti'n fy mhrynu i allan, Huw Bennet, naddo wir. ... Pa bryd y mae arnat ti eisio cymryd meddiant?

HUW BENNET. Heno!

ELIN WILLIAM. Heno?

HUW BENNET. Ie ... wrth gwrs, y chi fydd yn aros yma fel o'r blaen, dim ond mai f'enw i fydd ar y stoc.

ROBERT WILLIAM. Huw Bennet, 'r hen gyfaill, rydyn ni'n fwy diolchgar iti na medra' i byth ddangos: rwyt ti wedi bod y cyfaill a'r cymydog gora gafodd neb erioed. Ond a deud y gwir wrthyt ti, fedrwn i byth dalu llog iti ... ond dydyn ni yn methu talu'r rhent?

HUW BENNET. Aros funud: gwna bwt o bapur yn deud mai fi pia'r stoc.

ROBERT WILLIAM. Wel, gan dy fod ti am fynnu'n gwthio ni i drybini hefo'r ffarm yma eto, mi sgwenna' i o. (*Yn ysgrifennu.*) Dyma fo. Neith o'r tro, dŵad, heb stamp?

HUW BENNET (*yn edrych ar y papur, ac yn ei roi ar y bwrdd*). Oes gen ti faco yma?

ROBERT WILLIAM. Oes yn tad, dyma fo; helpa dy hunan.

(*Huw Bennet yn llenwi ei bibell, ac wedi gorffen, yn gwneud sbil o'r papur ac yn golau'i bibell gydag ef.*)

ROBERT WILLIAM. Huw, beth wyt ti'n neud?

ELIN WILLIAM. Beth sy arnoch chi, Huw Bennet? Ydech chi o'ch co?

HUW BENNET (*yn codi*). Rydw i'n myned adra rŵan i gael tipyn o hwyl yn deud yr hanes wrth Lowri ... Wyt ti'n cofio nhaid, yr hen Robin Bennet y Gelli? Wel, mi gafodd yr hen begor arian, fel y gwyddost ti, reit siŵr, ar ôl yr hen berson, rhyw fil neu ddwy; ac er mwyn dangos i'r hen Dwm Cadi, ewyrth i William Prichard y London, faint oedd o'n feddwl o'i arian, mi daniodd 'i getyn hefo papur pumpunt ym mharlwr y *Red Lion*. Rydw i wedi bod ar hyd fy oes yn ysu am wneud yr un peth, a phedaswn i'n arfer mynd i'r *Red Lion*, mi faswn wedi gwneud ers talwm. Ond dyma fy nghyfle i wedi dŵad, a rŵan, dyma fi wedi offrymu tipyn bach o aberth hen ŵr – (*yn tynnu ei het*) – i'r Arglwydd – hen ŵr wedi bod yn llawer rhy grintachlyd a chybyddlyd ar hyd 'i oes. ... Nos dawch, a pheidiwch gadael imi glywed byth eto amdanoch chi'n gadael y Sgellog na dim lol o'r fath.

(*Curo wrth y drws: Elin William yn agor, Mr. Wynne yn dyfod i mewn.*)

WYNNE. Sut rydech chi yma i gyd heno? Ydech chi'n o lew, Mrs. Williams? Ydech chitha'n mendio, Robert William? Sut mae Sgweier y Gelli heno?

ELIN WILLIAM. Mae Huw Bennet yn dechra colli'i synhwyra, Mr. Wynne! (*Huw Bennet yn cau ei ddwrn ar Elin William, ac yn sisial, 'Dim gair o'ch pen.'*) Steddwch i lawr wrth y tân, Mr. Wynne.

WYNNE. Wel, rydw i'n clywed fod arnoch chi eisio rhoi'r Sgellog yma i fyny.

ROBERT WILLIAM. Felly roedden ni'n meddwl pan ddaru mi yrru amdanoch chi, syr.

WYNNE. Wyddoch chi faint sy ers pan mae'ch teulu chi yma, Robert William?

ROBERT WILLIAM. Na wn i wir, heblaw fod yna hen garreg fedd wrth ffenestr y llan, ag enw rhyw William Cadwalad o'r Sgellog Fawr arni, ... wedi 'i gladdu yn y flwyddyn mil a chwe chant a deugain.

WYNNE. Rydech chi yma mhell cyn hynny. Rydw i'n meddwl mai tyfu o'r ddaear ddaru chi tuag amser y Dilyw ... Ac rydech chi'n mynd i madael, felly?

HUW BENNET. Nag ydyn.

WYNNE. Nag ydyn? Beth ydech chi'n feddwl, Huw Bennet?

HUW BENNET. Mae nhw'n mynd i aros yma bellach.

ROBERT WILLIAM. Fi fydd y dwytha o'r hen deulu, ... pan a' i odd'ma ... does gen i neb ar f'ôl.

WYNNE (*yng nghlust Huw Bennet*). Ewch i eistedd i'r fan

yna, Huw Bennet, a pheidiwch â deud gair o'ch pen nes cewch chi ganiatâd. (*Huw Bennet yn eistedd wrth y bwrdd mawr.*)

WYNNE (*yn codi, ac yn hamddenol*). Wel, mae'n wir ddrwg gen i glywed ych bod chi wedi newid ych meddwl. Wel, ydi wir, *mae'n* ddrwg gen i. Y gwir plaen i chi ydi hyn. Rydw i wedi gosod y Sgellog ar gyfer y tymor nesa i denant newydd.

ROBERT WILLIAM. Gosod y Sgellog?

ELIN WILLIAM. Wedi gosod yn cartre ni?

WYNNE. Ie, a fedra' i ddim tynnu'n ôl ... mae'r fargen wedi ei tharo.

ELIN WILLIAM. O, Mr, Wynne, rydech chi'n galed. Fedrwch chi ddim gneud rhywbeth i ddadwneud y peth, deudwch? Cofiwch gymint ddaru ni ddiodde ar law'r sgweier, a'r hen stiwart o'ch blaen chi ... A chitha yn yr ysgol hefo fo ... hefo Emrys.

WYNNE. Oeddwn, Mrs. Williams; a chan ych bod chi'n sôn am ysgol, rhaid i mi gyfadde mai hogyn oedd yn yr ysgol hefo mi ydi'r tenant newydd. Mi ddylech fod yn falch i roi'r lle i fyny iddo fo ... mi wneith i'r Sgellog flodeuo fel gardd Saron, a mi wneith y wlad yma'n well o'i gwmpas hefyd. Mi fydd yn dda i'r pentre yma a'r ardal gael un dyn i'ch tynnu chi o'r gors yr ydech chi wedi mynd iddi hi ...

ROBERT WILLIAM. Mr. Wynne, mi glywis i siarad fel yna o'r blaen, flynyddoedd yn ôl, a dydw i'n beio dim arnoch chi, – rydech chi'n ifanc eto, ac heb golli'ch ffydd. Ond os dyn fel yna ydi o, mae yna ddigon o dorwyr beddau yng Nghymru ac yn yr ardal yma, i gael lle i'w roi ar unwaith. ... Cofiwch y proffwydi a'r tadau ... y rhai a aeth o'ch blaen chi ...

ELIN WILLIAM. Wel, wel, roedden ni wedi meddwl mynd odd'ma ... ond – (*yn wylo*) – rŵan, dyma ni'n cael yn hel. Arnon ni roedd y bai, wrth gwrs, yn sôn am y peth, ond ...

HUW BENNET. Bedi'r jôc, Mr. Wynne? Mae gynnoch chi ffordd ryfedd i fwynhau'ch hun ar hirnos gaea, mae'n rhaid imi ddeud yn blaen wrthoch chi.

WYNNE. Rydw i o ddifri, Huw Bennet, a rhag i chi fynd i ddim petrustod pellach, hwyrach y byddai'n well i chi weld y tenant newydd. Mae o wedi cyrraedd yma er y pnawn, y fo a'i wraig, a mi peris i nhw aros yn y Sgellog Bach, nes galwn i arnyn nhw. Fydda' i ddim munud.

(*Wynne yn myned allan.*)

ROBERT WILLIAM. Wel, dyma hi ar ben, Huw Bennet. Peidiwch â chrio, Elin; mi fedrwn dalu *cheque* Huw Bennet yn ôl, beth bynnag arall fedrwn ni dalu.

HUW BENNET. *Cheque* bybeth? Cadwch o; nid y fi pia fo. Mi fydd yn dda i chi wrtho fo eto, mae arna i ofn.

(*Distawrwydd mawr.*)

MALI OWEN (*o'r lloffi*). Mae hi wedi taro pedwar. Ydi'i fara llaeth o'n barod?

ROBERT WILLIAM. Mae mam druan wedi colli arni hunan yn lân ... mae hi wedi anghofio'r cwbwl o'r pymtheng mlynedd dwytha. Meddwl am Emrys yn hogyn bach y mae hi drwy'r dydd.

(*Drws yn agor. Wynne yn dyfod i mewn a dau ddieithr – gŵr a gwraig – gydag ef. Gorchudd trwm ar wyneb y wraig, a'r gŵr â'i gôt fawr a'i choler wedi ei chodi.*)

(*Llais Mali Owen yn gweiddi'n uchel.*)

WYNNE. Dyma nhw'r tenantiaid newydd. Rydw i wedi siarad hefo nhw, a mi gewch chware teg gynnyn nhw, mi wn. Mae gynnyn nhw ddigon o arian i'ch prynu chi a'r Gelli hefo'i gilydd, Huw Bennet, er cymin o hen grafwr ydech chi.

HUW BENNET. Wel, bendith ar 'i clonna nhw ... os caiff yr hen bobol yma chware teg gynnyn nhw.

ROBERT WILLIAM. Sais ydech chi, syr, ynte Cymro?

Y GŴR. Cymro – o Canada.

ROBERT WILLIAM. (*yn taflu'r blanced oddi arno, ac yn neidio i dynnu coler y dyn i lawr*). Yr Arglwydd mawr! Emrys!

ELIN WILLIAM. Eh? Emrys annwyl! Mi ddoist o'r diwedd!

(*Huw Bennet yn taflu'i ddwyffon i fyny, ac yn hoblian dros y *llawr.)*

HUW BENNET. Hwrê! Bendigedig! Pwy ddeudodd fod yr Arglwydd yn anghofio'r cyfiawn?

EMRYS. Mam annwyl! – (*yn cofleidio'i fam*) – a nhad – (*a'i law ar ei ysgwydd*) – a Huw Bennet. Does dim eisio croeso i mi ... edrychwch ar hon.

ELIN WILLIAM. Ann, fel mae byw fi! (*Yn ei chofleidio.*)

ROBERT WILLIAM. Wel, byth o'r fan 'ma ... sut rwyt ti, Ann? – a thi ydi'i wraig o, aie?

EMRYS. Rydw i wedi dŵad yma i edrych ar ych hola chi, am byth bythoedd ... brecwast yn ych gwelâu bob dydd, a braster y wlad i chi, a heddwch yn ych hen ddyddiau. Ydech chi'n cofio'r noson honno, pan ddaeth y plisman a'r cipar yma?

ELIN WILLIAM. Ydw.

EMRYS. Wel, breuddwyd yng nghorff y nos neithiwr oedd hynny a dim arall ... ac yr yden ni i gyd wedi bod yn cysgu er hynny. Rydw i wedi dŵad i ail ddechra ... ar y gwaith mawr.

HUW BENNET. Beth ydi o, machgen i?

EMRYS. Gafael yn nau gorn yr arad, a dysgu i Lanfesach dorri cwys unionach ar wyneb y tir ... dyna i gyd.

WYNNE. Deudwch wrthyn nhw pwy a'ch dysgodd chi, Emrys.

EMRYS (*yn gafael yn llaw Ann*). Dyma hi, – dyma'r proffwyd. Hi tynnodd fi o'r pridd tew a'r clai tomlyd. Dyma i chi ddyniolaeth wedi diodde, ac wedi concro ... ac yn awr yn medru dysgu pawb.

ANN. Tewch, Emrys ... lle baswn i heblaw chi? Yn y wyrcws y cafodd o hyd i mi. Sut y medrwn i ddysgu neb?

EMRYS. Ie, yn y fan honno y dois i o hyd i fy ngwraig. O medrwch, mi fedrwch chi'n dysgu ni i gyd, Ann ... am ych bod chi'n deall. Huw Bennet, 'r hen gyfaill annwyl, deudwch wrtha i sut ddyn oedd yr hen sgweier?

HUW BENNET. Dyn melltigedig – dyn drwg o'r top i'r gwaelod.

EMRYS. Nage wir, yr hen Rodd Mam, rydech chi'n methu,

ydech wir. Mae Ann yma'n mynd i ddileu'r gair 'bai' allan o'r geiriadur, ac yn mynd i roi 'tosturio' yn ei le. ... Mae hi wedi nysgu i i dosturio wrth ddynion fel y sgweier.

ANN. Ie, Huw Bennet, mae yna rywun wedi bod yn anrheithio eneidiau yn yr hen fyd yma, er y dechra ... a phobol fel y sgweier oedd nesa i'r ergydion hwyrach. Ond cofiwch chi, rhai fel chi a nhad a mam gorchfygith o yn y diwedd.

EMRYS. Ie, ... rydw i wedi dysgu hynny tra buon ni yn Canada yn brwydro yn erbyn holl bwerau natur ... ac hefo rhai fel chi rydw i am fyw bellach ... yn cadw drws yn Seion.

(*Drws yn agor. Mali Owen yn dyfod i mewn. Pawb yn codi mewn dychryn.*)

MALI OWEN. O, mi ddoist adre, Emrys bach, o'r ysgol? Wyt ti am fyned i'r seiat heno ?

EMRYS. Ydw, nain.

MALI OWEN (*yn estyn afal*). Dyma afol i ti am ddysgu dy adnod. Dywad hi, ngwas i, er mwyn i dy nain 'i chlywed hi.

EMRYS (*yn sefyll ar ganol y llawr*). 'Gwyn eu byd y rhai addfwyn, canys hwy a etifeddant y ddaear.'

LLEN.

DYRCHAFIAD ARALL I GYMRO

DYRCHAFIAD ARALL I GYMRO

Drama mewn dwy act

CYMERIADAU

John Morris ... ... Chwarelwr

Catrin ... ... Ei wraig

Tomos ... ... Brawd Catrin a phartner John

Ifan Morris ... ... Mab John a Catrin

Mrs. Morris ... ... Ei wraig

Syr Henry Fawcett-Edwards ... ... Prif Weinidog

Y mae deugain mlynedd o amser rhwng yr act gyntaf a'r ail.

YR ACT GYNTAF

Cegin Pen y Rhos, tyddyn bychan dwy acer ar ymyl y Rhos Fawr yn Sir Gaernarfon. Yn y pared gyferbyn, y mae ffenestr fechan bedair cwarel, yn dangos trwch mawr y mur, ac ar yr ochr chwith iddi, dresel dderw hen ffasiwn iawn, yn dal pethau hen a newydd, llestri gan mwyaf. Rhwng y dresel a'r ffenestr, y mae cloc wyth niwrnod yn perthyn i genhedlaeth neu ddwy ar ôl y dresel; a ffyn ac umbrela neu ddau yn y gornel wrth ei ochr. Ar yr ochr dde i'r ffenestr, cwpwrdd gwydr, yn llawn o lyfrau. Ar y pared de, y mae'r tân o dan simdde fawr, a mainc yn cyrraedd oddi wrtho i'r llawr, o dan y simdde. Y mae drws y siambr yn y pared chwith, ac yn nes i gefn yr ystafell, y mae llen laes yn cuddio gwaelod y grisiau sy'n arwain i'r llofft. Nid oes lofft o gwbl uwchben y gegin ei hunan, ac y mae'r nenbrennau i'w gweled yn amlwg. Y mae'r drws cefn yn y gongl dde y tu ôl i'r simdde.

Ar ganol y llawr, y mae bwrdd bychan ac oilcloth arno, a Beibl mawr a llyfr arall wedi eu gadael yno er y noson cynt. Ar y mur, llun Williams Pantycelyn, a Gladstone, a darlun lliwiedig o frwydr Tel-el-Kebir. Y mae popeth yn boenus o lân. Ar gadair rhwng y ddau ddrws y mae dillad plentyn, ac esgidiau o dani, a dwy hosan ar gefn y gadair.

Pump o'r gloch y bore ydyw, yn y gaeaf, felly y mae popeth yn hollol dywyll. John Morris yn dyfod i lawr yn nhraed ei sanau, gyda channwyll olau yn un llaw, a'i goler yn y llall. Dengys ei lodrau gwynion mai chwarelwr ydyw, chwarelwr yn byw ar dyddyn, y math perffeithiaf o werinwr a allodd gwareiddiad Cymru ei godi eto; dyn distaw penderfynol, ac ôl diwylliant nid bychan ar ei iaith a'i foes. Gwasgod gordoroy werdd, a chôt frethyn lychlyd amdano. Dyry ei esgidiau am ei draed yn bwyllog, ac yna, cyfyd i fyny ei freichiau i ymestyn. Saif fel pe bai rhwng dau feddwl am funud, a dyry ochenaid ddofn, ond â allan yn araf drwy'r drws, a daw'n ôl ymhen munud neu ddau, gyda choed tân yn un llaw, a glo mewn bwced yn y llall; penlinia o flaen y tân, gan ddechrau ei osod.

Yna daw Catrin Morris i lawr, gwraig ieuanc brydweddol, serchog yr olwg, dan glymu ei barclod o'r tu ôl. Cymer lamp oddi ar y dresel i'w golau, ac wrth siarad â'i gŵr, y mae'n paratoi'r bwrdd at bryd.

CATRIN. Ewch i molchi, John, a gadwch i'r tân yna. Mi goleua' i o.

JOHN. Mae o'n ddigon cyndyn y bore yma, beth bynnag – well i chi gael y fegin, neu ynte ferwith y tecell yma byth.

CATRIN. O'r gora, brysiwch wir; mae hi'n oer ofnadwy i sefyllian o gwmpas, a chitha wedi cael annwyd fel rydech chi. *(John yn myned at y drws ac yn sefyll fel o'r blaen ac yn ochneidio.)* Beth sy arnoch chi'r bore 'ma, John? Rydech chi'n ddistaw iawn. Oes rhwbeth ar ych meddwl chi, deudwch?

JOHN. Nag oes, dim. Beth wnaeth i chi feddwl hynny?

CATRIN. Ych clywed chi'n ochneidio, a'ch gweld chi'n edrych mor syn. 'Rhoswch, dowch yma, John; mi wn i bedi'r mater.

JOHN. Beth, meddwch chi?

CATRIN. Poeni rydech chi fod yr hen fargen yna yn y

chwarel wedi mynd mor sâl, ac ofn arnoch chi na chewch chi ddim digon o gyflog y mis yma i dalu'r addewid at ddyled y capel. Wel, wir, wn i ddim i beth rydech chi'n gneud baich o'ch crefydd fel hyn – tasa bawb yn rhoi cystal at yr achos ag yr yden ni'n roi, fasa raid poeni dim pan ddaw ambell i fis gwan fel hyn heibio.

JOHN. Nage wir, Catrin, doeddwn i ddim yn meddwl o gwbwl am yr hen fargen, ac mae yma ddigon o bobol ar y Rhos yma yn cael llai na hyd yn oed deirpunt, fel ges i'r mis dwytha.

CATRIN. Wel, dowch i gael ych brecwast ynte, mae'r te yn barod. Mi gewch molchi wedyn. (*Y ddau yn eistedd i lawr wrth y bwrdd ac yn bwyta. CATRIN yn rhoi ei llaw ar law ei gŵr.*) John! Beth ydi'r mater? – deudwch wrtha i; fethis i erioed ych cysuro chi o'r blaen, a fetha' i ddim y tro yma. Dowch, deudwch wrth ych gwraig.

JOHN. Catrin, faint sy ers pan yden ni wedi priodi, deudwch?

CATRIN. Chwe blynedd i fis Ebrill dwytha; mi ddylech chi gofio cystal â finna.

JOHN. Ie, chwe blynedd, a faint o wylia yden ni wedi gael drwy'r chwe blynedd yna?

CATRIN. Gwylia? Beth ydech chi'n feddwl? Mynd am dro'n bell ydech chi'n feddwl?

JOHN. Nage, – sawl diwrnod gollis i o'r chwarel?

CATRIN. Dim ond yr wythnos y bu'ch mam farw, rydw i'n meddwl. (*Yn tywallt y te.*) Ydech chi'n meddwl mynd am dro i rywle?

JOHN. Wn i ddim, neno'r tad annwyl. Rydw i'n dechra blino ar yr hen chwarel yna; ydw wir. Mi fydda' i'n meddwl weithia am fynd oddi yma i Awstralia neu rywle arall – yn ddigon pell, lle caiff rhywun dâl gonest am 'i waith. … Mae Tomos ych brawd yn cadw sŵn o hyd arna' i fynd hefo fo.

CATRIN. Peidiwch â chyboli, wir! Lle cawn ni arian i gychwyn, ydech chi'n feddwl? Dydech chi ddim yn hapus yma hefo mi ac Ifan bach, John?

JOHN. Wyddoch chi'n iawn 'y mod i'n hapus yma. Catrin.

Ar ych cownt chi ac Ifan yr ydw i'n poeni. Rydw i'n câl digon o bopeth sy arna i eisio, ond mi fydda' i'n ama weithia y byddwch chi ac Ifan bach yn byw ar wynt a dŵr pan fydda' i yn y chwarel. ... Wel, wir, waeth imi dewi. Fedrwn i byth adael yr hen le yma debyg, er mor gandryll ydi o – hen aelwyd 'y nhad a mam, y siambar lle buon nhw i gyd farw, a'r hen gapel lle ces i'r olwg gynta ... A'r hen lwybra yma lle buon ni'n caru ystalwm. ... Does arna i fawr o eisio bwyd y bore yma.

CATRIN (*yn codi ac yn sefyll y tu ôl iddo a'i dwylo ar ei ysgwydd*). John?

JOHN. Wel?

CATRIN. Deudwch beth sy wedi'ch styrbio chi'r bora ma. ... Mi wela' fod yna rwbeth go fawr o'i le arnoch chi.

JOHN. Newch chi ddim ond chwerthin am 'y mhen i, mi wn, 'dawn i'n deud wrthoch chi. Ydi Mr. Jones y sgŵl yn sôn am godi Ifan i'r *First Class* y tro yma?

CATRIN. Hitiwch chi befo Ifan, – troi'r stori ydi peth fel yna. ... Deudwch wrtha i, nghariad i.

JOHN. Steddwch i lawr, Catrin, a mi dreia i ddeud wrthoch chi, os peidiwch chi â chwerthin am 'y mhen i.

CATRIN. Wna' i ddim chwerthin, John, mi wyddoch yn iawn.

JOHN (*yn sydyn*). Hen freuddwyd cas ges i neithiwr. Mi fuom i bron â'ch deffro chi, i ddeud o wrthoch chi, ond mi feddylis y basa'n well peidio, wedyn, ac mae'n debyg imi huno tipyn rhwng rhyw gwsg ac effro wedyn. (*Yn codi.*) Mae'n gas genni feddwl amdano fo, na'i ddeud o.

CATRIN. Wel, mi fydd oddi ar ych meddwl chi wedi i chi ddeud o. Dowch.

JOHN. Fyddwch chi'n medru credu mewn breuddwydion, deudwch?

CATRIN. Wn i ddim sut i ddeud wrthoch chi, – bydda ac na fydda chwaith.

JOHN. Mi fydda' i'n meddwl weithia fod yna ryw synnwyr

ymhob dyn wedi mynd ar goll, rhywbeth sy gan yr anifeiliaid nag sy gynnon ni, a phan fydd y synhwyra erill yn cysgu, mi fydd hwnnw'n cael 'i gyfle i ddeud gair weithia. Ydech chi'n 'y nghofio i'n sôn am Siôn y Muria rywdro?

CATRIN. Hwnnw fu'n gweithio yn ych ymyl chi ym Mhonc Mosus?

JOHN. Ia, dyna fo – y creadur meddwa yn yr holl sir, heb ddim dowt. Mi fethodd y capal, ac mi fethodd y jêl, mi fethodd 'i wraig o a'i blant 'i droi o, – fydda fo byth yn sobor. Ond mi freuddwydiodd ryw noson 'i fod o wedi lladd 'i wraig a'i blant bach yn 'i ddiod, a phan ddeffrôdd o yn y bore, mi aeth ar 'i union cyn brecwast at Mr. Huws, Sardis, i seinio dirwest, a chyffyrddodd o â dafn byth wedyn. Mae o'n coelio hyd heddiw, tasa fo wedi meddwi unwaith wedyn y basa fo wedi gneud fel yr oedd o'n breuddwydio. Mae ambell un yn medru gweld yng ngola llwyd 'i freuddwyd yr hyn na feder o weld yn llygad haul pan yn effro; mae'r gola yn 'i ddallu o.

CATRIN. Medru gweld beth?

JOHN. Gweld drwy amser, Catrin, heb len o gwbl. Mae yna ddwy len o'n cylch ni, un o'n hola ni, sef llen y gorffennol, ac un o'n blaena, sef llen y dyfodol. Mae'r co' yn medru gweld drwy'r llen gynta, ac mae yna ryw synnwyr arall yn medru gweld drwy'r llall, pan fyddwn ni'n breuddwydio.

CATRIN. Fedra' i ddim mynd ar ych hôl chi yn y fan yna, John; rydech chi'n ormod o sglaig i mi. ... Ond deudwch ych breuddwyd.

JOHN *(yn eistedd i lawr, ac yn codi wedyn ar ganol dwedyd ei freuddwyd)*. Wel, mi welwn fy hunan wrthi hi'n tyllu ar wyneb y graig, a Tomos ych brawd, fel arfer, yn taro imi. Mi fuon ni wrthi hi yn ddygyn am oria, debygwn i, a phan oedden ni ar ddarfod, dyma'r corn yn canu, a ninna'n codi i fynd at y trên i ddŵad adre, ond cyn 'y mod i wedi rhoi fy nghôt amdana, mi welwn ddyn ar ben y clogwyn yn galw arna i wrth f'enw, ac yn gweiddi *wâr*, a chyn 'i fod o wedi tewi, mi welwn y graig wrth yn penna ni yn gwegian ac yn plygu drosodd, ac i lawr â hi am yn penna ni. Mi welwn blyg mawr yn taro Tomos yn 'i ben, a wedyn dyma'r cwbwl i lawr, amdanon ni. ... Mi ddeffris yn chwys oer drosta'i gyd, ac yn crynu fel deilen. ... Catrin, wyddoch chi pwy oedd y dyn oedd yn gweiddi *wâr* arna i?

CATRIN *(yn gyffrous)*. Na wn i, wir.

JOHN *(mewn llais ofnus)*. Yr hen Huw Lewis y Buarth, – hwnnw gafodd 'i ladd pan syrthiodd y Clogwyn Mawr ystalwm.

CATRIN *(ymhen ychydig)*. Twt, peidiwch â styrbio'ch hunan ddim, – does gen i ddim coel o gwbwl ar freuddwydion. Dydech chi ddim yn cofio amdanoch ych hunan yn breuddwydio ers talwm, newydd i Ifan gael ei eni, fod rhyw bobol fawr wedi dŵad heibio, wedi 'i gipio fo yn 'i cerbyd, a chitha *(yn gwenu)* wedi rhedeg ar 'i hola, ac wedi taro Ifan oddi ar sêt y car hefo'ch esgid?

JOHN *(yn chwerthin)*. Ie, rydw i fel Joseff yn breuddwydio ar y mwya, bob amser – ond breuddwyd hollol ddisynnwyr oedd hwnnw. *(Yn ddifrifol)*. Ond dyma i chi rwbeth mwy rhesymol. Rydw i dest â pheidio mynd i'r chwarel – heblaw fod arnon ni eisio arian i orffen pen y flwyddyn yn y capel, 'dawn i ddim chwaith.

CATRIN. Peidiwch â gadael i mi'ch perswadio chi beth bynnag, y naill ffordd na'r llall. Gnewch chi fel rydech chi'n meddwl yn ora, John bach.

JOHN. Ie, dim iws rhoi coel ar bopeth. Esgus dyn diog ydi peth felly yn amal. Rhaid imi fynd i molchi. *(Yn mynd allan.)*

(Catrin yn tacluso'r bwrdd. Curo ar y drws, a dyn mewn dillad chwarelwr yn dyfod i fewn.)

TOMOS. Sut rwyt ti, Catrin? Lle mae John?

CATRIN. Hylo, Tomos! Beth sy wedi d' yrru di yma allan o dy ffordd yr adeg yma o'r dydd fel hyn? Eistedd i lawr. Mae John wrthi hi'n molchi.

TOMOS. Galw arno fo; mae genni rwbeth pwysig i ddeud wrtho fo.

CATRIN. Aros funud; mae arna i eisio gofyn rhwbeth i ti, a

fynnwn i er dim i John glywed. (*Yn ddistaw.*) Mae hi'n fain iawn arnon ni'r mis yma, ac mae ar Ifan bach eisio lot o betha newydd. Oes gen ti ddim rhyw chweigien roet ti'n fenthyg inni dan ben y mis?

TOMOS *(yn rhoi'i law ar ei hysgwydd).* Catrin bach, mae'n ddrwg iawn genni, ydi wir. Mi rois y chweigien ddwytha oedd gen i neithiwr i orffen cownt y capel – daset ti wedi gofyn yn gynt imi, mi faswn wedi 'i chadw – ond mi dreia' i gael benthig un iti gan John Ellis y Siop – mae o'n un reit barod.

CATRIN. Diolch yn fawr iti. *(John yn dyfod i mewn.)* Dim gair, Tomos, cofia.

JOHN. Hylo, Twm, ti sy'na? Sut mae hi'n canu? Beth wyt ti'n neud yma mor fora?

TOMOS. Eisio dy weld ti. Wyddost ti beth, – dydw i ddim am fynd i'r chwarel heddiw.

JOHN. *(Yn edrych at ddrws y siambar. Ifan yn pesychu o'r siambar.)* Beth? Ddim am fynd i'r chwarel? A hitha'n ben y mis? Wyt ti'n wael?

TOMOS. Nag ydw i, ond pen y mis neu beidio, dydw i ddim am fynd.

JOHN. Bedi'r rheswm? Wyt ti'n mynd i briodi, dŵad? Ynte wyt ti'n mynd i riteirio a byw'n ŵr bonheddig?

TOMOS. Mi riteiria' i o'r byd yma os a' i i'r chwarel heddiw, rydw i'n ddigon siŵr o hynny.

CATRIN. Wel, dŵad dy reswm, Twm.

TOMOS. Wel, dyma fo – ac mi gei ditha chwerthin, os leici di, ond dydw i ddim yn mynd i wrando dim arnat ti. ... Mi ges hen freuddwyd cas iawn neithiwr.

JOHN. Eh? Breuddwyd? Beth odd o?

TOMOS. Wel, mi welwn fy hun yn taro iti ar wyneb y graig, a thitha'n dal yr ebill. Wedi bod wrthi hi drwy'r pnawn, debygwn i, dyma'r corn yn canu, a ninna'n codi i fynd at y trên, ond cyn inni roi'n cotia amdanon, dyma rywun o ben y clogwyn yn galw *wâr*, a chyn inni fedru symud, dyma'r clogwyn i gyd yn ysgwyd ac yn disgyn arnon ni'n dau … a wedyn mi ddeffris. ... Dydw i ddim yn mynd i'r chwarel heddiw.

JOHN *(yn gyffrous iawn)*. Ddaru ti ddal sylw ar y dyn oedd yn gweiddi *wâr*?

TOMOS. Do.

JOHN. Pwy oedd o?

TOMOS. Wel, rhyw frith atgo sy genni amdano fo; ond roeddwn i'n meddwl mai'r hen Huw Lewis y Buarth oedd o, – dyna dychrynodd fi gymint.

CATRIN *(ym mhen tipyn)*. Dydi John ddim yn mynd i'r chwarel chwaith, Twm.

JOHN. Wel, dyma'r peth rhyfedda glywis i erioed. Wyddost ti beth? Mi freuddwydis inna'r un breuddwyd yn union neithiwr.

TOMOS. Yr un breuddwyd, beth wyt ti'n feddwl?

JOHN. Ia, yr un breuddwyd yn union, air am air, – a mi glywis yr hen Huw Lewis yn galw *wâr* a phopeth fel y deudist ti.

TOMOS (*ar ôl distawrwydd mawr*). Felly wir. O ia!

CATRIN. Rhybudd gan Ragluniaeth oedd o, yn deud fod damwain i fod yn ych bargen chi heddiw. Dos yn ôl i dy wely, Twm, a chditha hefyd John. Nid yn amal y byddwch chi'n cael siawns i gysgu heb ddim yn galw arnoch chi.

JOHN. Ia, dyden ni ddim i fynd i'r chwarel heddiw, mae hynny'n amlwg ddigon.

TOMOS. Ydi – roeddwn i'n ddigon siŵr o hynny cyn dŵad yma, ond 'dawn i ddim yno rŵan wedi clywed y peth glywis pe cawn i'r chwarel i gyd yn aur am fynd.

(*Tomos yn troi tua'r drws.*)

JOHN. Aros funud! Faint well fyddwn ni wedi aros adre? Doedd y breuddwyd ddim yn deud pa bryd yr oedd y ddamwain i fod, – hwyrach mai fory neu'r wythnos nesa, neu'r flwyddyn nesa …

CATRIN. Arhoswch chi adre heddiw ych dau beth bynnag, ac mi gewch weld beth ddigwydd yno heddiw.

JOHN (*yn cerdded o gwmpas*). Wn i ddim, na wn i wir ...

(Trên y gweithwyr yn chwibanu yn y pellter.) ... Dyna hi'r trên wrth Gefn y Gwyndy.

TOMOS. Gwna dy feddwl i fyny, ngwas i, i aros adre bellach ...

JOHN. O'r gore. Mi adwn ni iddi hi yn y fan yna ynte. ... Dydw i ddim yn mynd. *(Yn codi ei droed ar y gadair i ddatod ei esgidiau. IFAN yn pesychu o'r siambar.)* Mae'r hogyn bach yna wedi cael annwyd ofnadwy yn rhywle. ... Rhaid inni gymryd gofol hefo fo, neu mae o'n siŵr o droi yn rhywbeth gwaeth arno fo. *(Ifan yn pesychu eto. Distawrwydd. John yn dal i ddatod ei esgidiau, ac wedi datod un esgid, yn rhoi ei law ar yr hosanau ar gefn y gadair, ac yna yn edrych ar ei law.)* Catrin! Sana pwy ydi'r rhain?

CATRIN. Sana Ifan bach.

JOHN *(yn gafael ynddynt ac yn edrych arnynt)*. Y mae nhw'n lyb dyferu!

CATRIN. Yn lyb ?

JOHN. Ia, teimlwch nhw. ... Does dim rhyfedd fod y peth bach wedi cael annwyd. ... Rhowch imi weld 'i sgidia fo. *(Catrin yn estyn un esgid, a Tomos yn estyn y llall iddo.)* Wel, edrychwch ar 'i sgidia fo, ... ond tydyn nhw'n dwll drwadd! ... Oes gynno fo bâr arall?

CATRIN. Mae arna i ofn fod y rheini llawn cyn waethed.

(Sŵn traed dynion ar y ffordd yn rhedeg am y trên. John yn edrych ar y cloc. Ifan yn pesychu eto.)

JOHN. Faint o arian sydd yma yn y tŷ?

CATRIN. Dim ond deuswllt dan ben y mis.

JOHN. Oes coel i gael gan gryddion y Dre?

TOMOS. Nag oes, dim perig. Rhaid iti dalu arian parod am bopeth.

(John yn cau ei esgidiau i fyny ar unwaith, ac yn gafael yn ei het a'i flwch bwyd.)

JOHN. Wel, dyna ben arni hi. Fedra' i ddim aros adra i ddiogi ac Ifan bach heb sgidia am 'i draed. Cadwch o yn 'i wely heddiw.

(Yn agor y drws ac yn myned allan. Sŵn ei draed yn rhedeg i'w glywed ar y ffordd. Catrin a Tomos yn edrych yn syn ar ei gilydd, ac yn dal esgid bob un yn eu llaw. ... Trên y gweithwyr yn chwibanu.)

LLEN.

YR AIL ACT

Llyfrgell yn nhŷ Ifan Morris yng ngorllewin Llundain, tua naw o'r gloch y nos. Ffenestr Ffrengig yng nghefn yr ystafell, a llenni trymion arni; ar y dde i'r ffenestr, cwpwrdd yn llawn o lyfrau. Drws ar yr ochr chwith, a rhyngddo a'r ffenestr yr hen gloc a welsom yn nhŷ John Morris. Tân ar y llaw dde. Bwrdd mawr derw yn y canol, a phentwr o lyfrau gleision, papurau, etc., arno. Ar soffa wrth y tân y mae Mrs. Morris yn eistedd yn darllen.

Ifan Morris yn dyfod i mewn; y mae ef a'i wraig mewn evening dress, *gan eu bod newydd orffen eu cinio. Y mae'n debyg iawn i'w dad, ond ei fod ychydig yn dalach ac yn sythach ei gerdded, ond y mae ei wallt yn wynnach nag oedd gwallt ei dad, pan welsom ef. Y mae ei wyneb yn feinach, ac yn dangos mwy o graffter, er nad oes dim mwy o ôl diwylliant arno.*

IFAN MORRIS. Wel, dydw i ddim am fynd allan eto, beth bynnag, waeth gen i beth fo'n galw arna i. Rydw i am eistedd.

Mrs. MORRIS *(yn codi ei golwg arno)*. Ie wir, cymrwch dipyn o orffwys heno. *(Yn codi ac yn mynd i gadair.)* Eisteddwch ar y soffa yna, y mae hi'n esmwythach na'r cadeiria.

IFAN. Diolch. (*Yn cymryd sigâr o focs ar y bwrdd ac yn ei golau.)* Welsoch chi'r *Genedl* hyd y fan yma'n rhywle, deudwch?

Mrs. MORRIS. Pa *Genedl?* Ydi un yr wythnos yma wedi dŵad?

IFAN. Ydi, debyg: does dim perig i mam anghofio'i gyrru hi. Bobol annwyl, dasa ddigwydd iddi hi anghofio, mi ddoe yma'i hunan bob cam o Gymru a'r papur yn 'i llaw – neu hwyrach y basa hi'n gyrru Tomos. *(Yn chwilio.)* Wel, lle ar y ddaear y mae hi? *(Yn chwilio eto a'i gefn at ei wraig; hithau'n araf yn cymryd papur newydd oddi tan un o'r llyfrau ar y bwrdd, ac yn ei guddio'n llechwraidd o dan glustog y soffa.)*

Mrs. MORRIS. Hwyrach bod Jane wedi ei llosgi hi heb wybod. Ond peidiwch â gofalu yn 'i chylch hi – rydw i'n siŵr does dim ynddi ond hanes Cyfarfod Llenyddol Llanbaffo a Chyfarfod

Misol Gilead, a Dosbarth Deml rhyw Lan neu bentref; neu hanes yn dweud fod ein cyd-drefwr parchus Mr. Eleazar Jones wedi rhedeg dros gyw iâr hefo'i drol laeth, ac felly yn y blaen. ... Steddwch i lawr, wir.

IFAN *(yn dal i chwilio)*. Rhaid imi ei chael hi – dyna'r unig gyfle sy genni i wybod beth sy'n digwydd yn yr hen wlad. Mae'n ddigon hawdd i chi chwerthin, ond wyddoch chi beth? Mi fuasa'n well genni golli hanes holl deyrnasoedd y byd a'u gogoniant, na methu gwybod pwy gafodd 'i ffeinio'r Sadwrn yn Nghaernarfon am feddwi, neu pa hogyn o'r dre sy wedi cael ei godi ar y Cyngor Plwy yn Timbuctoo – 'dyrchafiad arall i Gymro!' ... Wel, fedra' i ddim cael hyd iddi hi. *(Yn eistedd i lawr ar y soffa.)*

Mrs. MORRIS. Rydw i'n methu'ch deall chi, Ifan. Mi fyddwch bob amser o'ch co' hefo 'ffyliaid y papurau newydd' chwedl chitha, a dydw i'n synnu dim, – ond dyma sy'n ddigri, – fedrwch chi yn ych byw beidio â'u darllen nhw. Pam na fedrwch chi fod fel Mr. Balfour, os ydech chi'n teimlo mor *superior* – peidio edrych ar bapur newydd ddydd mewn blwyddyn?

IFAN. Ie, dyna hi, ngeneth i, dyna hi, dydi dyn rhesymol byth yn gyson â fo'i hunan. Mi fydd rhai o bobol fawr y Senedd yn chwerthin am ben bychander bywyd Cymru, – ond waeth amdanyn nhw, pobol felna yden ni. Ryden ni heb ddysgu eto y gelfyddyd fawr Seisnig o edrych galla pan fyddwn ni fwya o ffyliaid. Pan fyddwn ni'n gneud petha fasa'n ddigon i yrru Sais ar ei ben i Colney Hatch, dyna'r pryd y byddwn ni galla, fel rheol. Ac heblaw hynny, faint gwaeth ydi mynnu gwybod pwy enillodd y ras redig yn Llandinadman nag ymdrabaeddu yn y papura Saesneg i wybod pa sut *gostume* newydd sy gan y frenhines, neu pa ŵr newydd sy gan rhyw dipyn o actres? ... Beth ydech chi'n ddarllen?

Mrs. MORRIS. Ceiriog.

IFAN. Ceiriog! Dyna lle'r ydech chi o hyd? Rydw i wedi diflasu arno fo ers blynyddoedd – fedra' i mo'i ddarllen o – yr hen greadur meddal iddo fo, hefo'i sentiment, a'i ddagrau, a'i garu, a'i gusanu.

Mrs. MORRIS. Wel ie, ond rydw i'n hen ffasiwn iawn, welwch chi, a fedra' i ddim cael fawr yn y beirdd diweddar yma – mae Ceiriog yn fy siwtio i, – un sentimental ydw i, Ifan bach, fel y gwyddoch chi.

IFAN. Mewn geiriau ereill, rydech chi am droi dagrau Ceiriog at ych melin ych hun. Wel, mae hynny'n eitha tra bo digon o ddŵr ynddyn nhw i throi hi. Mae fy melin i yn rhy drom, dyna'r gwir, – neu mae ar y treulia eisio'i hiro.

Mrs. MORRIS. Fasa tipyn bach o sentiment yn gneud fawr o ddrwg i chitha, – rydech chi wedi caledu llawer er pan ydech chi yn Llundain.

IFAN. Mae'r hen soffa yma wedi cledu hefyd er pan mae yma. *(Yn ysgwyd y glustog.)* Neno'r tad, fedra' i yn fy myw osod fy hun yn esmwyth. *(Yn codi'r glustog.)* Hylo! Bedi hwn? *(Yn tynnu'r* Genedl *allan.)* Wel, dyma hi'r *Genedl*! Doedd ryfedd fod y soffa'n bigog – ond doeddwn i'n eistedd ar holl gyfarfodydd misol Gogledd Cymru – heb sôn am *wit* y Cwrt Bach. Rŵan am dipyn o adloniant. *(Yn ail olau ei sigâr ac yn codi ei goesau ar y soffa. Distawrwydd mawr, – Mrs. Morris yn edrych yn bryderus arno. – Yntau'n dal i ddarllen. Yn codi'n sydyn.)* Wel! Wel! *(Yn taflu'r papur i'r gornel.)*

Mrs. MORRIS. Beth ydi'r mater rŵan?

IFAN. Dim. (*Yn cerdded o gwmpas ac o'r diwedd yn ailgodi'r* Genedl.) Os oes arnoch chi eisio tipyn o syniad y *Genedl* am ych gŵr, dyma fo i chi yn blwmp ac yn blaen. Ga' i ddarllen o i chi?

Mrs. MORRIS. Os leiciwch chi.

IFAN. Gwrandewch. Dyma ran o'r brif erthygl. 'Fel y gŵyr pawb o'n darllenwyr, fe ddaeth Mr. Morris â bil o flaen y Senedd i godi safon cyflog y chwarelwyr, – y bobl o bob dosbarth o weithwyr sy'n cael eu talu salaf, ac nid oedd gan neb yr amheuaeth leiaf nad âi'r bil yn llwyddiannus drwy'r Tŷ. Cynheswyd llawer aelwyd, a llonnwyd aml galon drist wrth feddwl bod yr hen bryder a'r hen ofal o'r diwedd i orffen am byth; bod siawns i'r plant gael digon o fwyd eto, ac i'r gruddiau gwelwon adennill gwaed. Ond fel y digwyddodd yn rhy aml yng Nghymru cyn heddiw, llin yn mygu oedd ein gobeithion, a chorsen ysig oedd yr un y pwysem arno. Os ydyw'r sibrydion yn wir bod Mr. Morris yn bwriadu cefnu ar y bil, rhaid inni ddywedyd yn ddifloesgni fod Mr. Morris wedi bradychu y bobl a'i gyrrodd i'r Senedd. Pa faint fydd y wobr a gaiff Judas y tro yma, nis gwyddom, ond byddwn yn gwylio'r penodiadau nesaf i'r Cabinet yn bryderus. Fe fu amser pan feddyliem fod Cymru o'r diwedd wedi cael yn Mr. Morris ddyn oedd yn gosod y wlad a'r werin y cododd ohoni o flaen manteision personol ac elw, ond gwelwn erbyn hyn yn amlwg nad yw yntau, er disgleiried ei allu, yn amgen na'r rhelyw o'r aelodau Cymreig. Diwedd y gân ydyw'r geiniog.' (*Yn rhoi'r papur i lawr.*) ... Wel, dyna i chi beth ydi gwenwyn golygyddol. Mi leiciwn 'i gael o o flaen 'y nhroed am funud!

Mrs. MORRIS. Ie, *mae* o'n gas ... ond Ifan?

IFAN. Beth? Ydech chi am ailddechra eto?

Mrs. MORRIS. Ydw wir. Ailystyriwch am funud, ydech chi'n meddwl ych bod chi'n gneud yn iawn? Ydech chi'n dawel ych cydwybod? (*Yn codi ac yn cerdded ato.*) Cymrwch bwyll – a chofiwch y graig yr ydych chi wedi'ch naddu ohoni.

IFAN. Twt, twt! Pa iws ydi ailddechra'r hen ymdderu yma eto? Dyma hi'n naw o'r gloch ac mi addewis y câi'r Prif Weinidog fy atebiad i cyn hanner awr wedi naw. Rydw i yn 'i ddisgwyl o yma bob munud rŵan. Rydw i'n ddigon tawel fy nghydwybod.

Mrs. MORRIS. Ydech chi wedi meddwl beth feddylia pobl Cymru ohonoch chi?

IFAN. Dydi o ddim gwahaniaeth genni o gwbl beth mae nhw'n feddwl, tra byddan nhw'n meddwl mor niwlog ag y mae nhw. Pan ddysg yr arweinwyr – y pregethwyr a'u ffrindiau – wneud tipyn o aberth eu hunain, mi fydd ganddyn nhw le i ofyn aberth gan rai fel finna. ... Welsoch chi bregethwr erioed wrthododd adael 'i bwlpud er mwyn tipyn rhagor o arian yn rhywle arall?

Mrs. MORRIS. Fedra' i ddim deud – dydw i na chitha ddim

yn gwybod am y rhai sy wedi gneud yr aberth – fydd hanes y rheini ddim yn mynd i'r papura.

IFAN. Na fydd, rydech chi yn ych lle. Ond pan wela' i yn y *Genedl Gymreig* a'r papura ereill o dan y pennawd '*Dyrchafiad arall i Gymro'* fod rhywun wedi gwrthod mwy o arian er mwyn 'i egwyddor, mi ddechreua' inna aberthu wedyn.

Mrs. MORRIS. Felly, does dim symud arnoch chi?

IFAN. Rydw i fel y graig. Rhaid imi feddwl am y dyfodol ... ac yn y Cabinet, mi ga' i siawns i wneud rhywbeth dros yr hen wlad.

(*Cynnwrf wrth y drws. Llais.*)

LLAIS. Waeth iti beidio ddim, ngeneth i. Fedri di na neb o dy deulu mo fy rhwystro i rhag mynd i fewn. Symud o fy ffordd i!

Mrs. MORRIS. Beth sy 'na?

(*IFAN MORRIS yn neidio i fyny ac yn rhedeg at y drws, ond cyn iddo ei gyrraedd, y mae'r drws yn agoryd, a TOMOS yn dyfod i fewn. Mae ei wisg yn od o wladaidd, a bag mawr ganddo yn un llaw, a het ac umbrela yn y llall. Mae erbyn hyn yn hen ddyn, a gwaith caled y chwarel wedi ei grymu. Hawdd gweled er hynny ar ei wyneb nad yn ofer y bu yn ysgol bywyd.*)

IFAN. F'ewyrth Tomos!

Mrs. MORRIS. O ble yn y byd y daethoch chi'r adeg yma o'r nos, f'ewyrth?

TOMOS. Rydw i'n gofyn ych pardwn chi'ch dau am ych styrbio chi fel hyn gefn trymedd y nos. Ond mi ddois i bob cam o gartre heddiw, a mi fuom yn crwydro am oria yn chwilio am y tŷ yma. Wedi imi ddeud fy neges, mi a' i i'r stesion eto i aros am y trên nesa i fynd yn ôl.

Mrs. MORRIS. Mynd i'r stesion! Beth ydi'r mater arnoch chi? Rhaid i chi aros yma bellach cyd ag y mynnoch chi. Rhowch y bag yma i lawr, a steddwch. Mi gewch damaid o swper mewn munud.

IFAN. Sut mae pawb yng Nghymru?

TOMOS. Mae dy fam a finna'n ddigon iach, ond mae pawb

acw cyn dloted ag y mae posib iddyn nhw fod. Mae'r hen le acw, yn bentra, ac yn ysgol, ac yn gapal, yn marw dan yn dwylo ni, – mi ddarun 'y nanfon i yma i siarad hefo ti, Ifan.

IFAN. Wel wir, mae'n rhaid fod gynnoch chi rywbeth pwysig iawn i ddeud. ... Does 'na ddim ffortiwn, debyg gen i, wedi dŵad i'r un o'n teulu ni?

TOMOS (*yn eistedd ar ymyl cadair*). Nag oes, machgen i, nid teulu i gael ffortiwn yden ni. Ond rydw i'n dŵad yma i gynnig ffortiwn arall i ti – ffortiwn nad oes ond ychydig iawn yn medru 'i hel hi weldi, ond roedd Iesu Grist yn 'i plith nhw, a dy dad titha ...

IFAN. Dydw i ddim yn deall damhegion, f'ewyrth, rŵan. Mae pawb yn y Senedd, wyddoch chi, yn siarad mor blaen. ... Seiat Bethlehem acw sy wedi'ch gyrru chi yma i chwilio i gyflwr 'y nghrefydd i?

TOMOS (*yn hamddenol*). Nage, machgen i. Does arna i na neb arall eisio bysnesu hefo dy grefydd di – os oes gan aelodau seneddol grefydd pan fyddan nhw'n byw yn Llundain. Mi ddyla fod, o ran hynny, mae yna ddigon o bregethwyr yn 'i mysg nhw. ... Ond dyma'r ffortiwn oedd genni i gynnig iti – aberth.

IFAN. Ie, reit siŵr, – Aberth hefo A fawr yntê? Rydw i wedi sylwi, f'ewyrth, fod mwy o gynnig nag o dderbyn ar y ffortiwn honno.

TOMOS (*yn fwy hamddenol byth*). Mi wyddost beth rydw i'n geisio ddeud wrthyt ti, ond mod i'n flêr, yn bustachu fel hen gaseg mewn cors, wrth geisio'i ddeud o. Mae arnon ni eisio iti fynd ymlaen hefo bil y cyflog.

IFAN. Rydech chi'n rhy hwyr, yn rhy hwyr o dipyn. Rydw i'n disgwyl y Prif Weinidog yma bob munud i ddwedyd wrtho fo 'y mod i yn mynd i dynnu'r bil yn ôl.

TOMOS (*yn codi'n araf, ac yn pwyntio at Ifan gyda'i umbrela*). Gwrando arna i, machgen i. Dwyt ti ddim wedi ystyried y mater, neu ynte fuasa mab John Morris ddim yn gwrthod y cyfle i dalu tipyn bach yn ôl o'r hen ddlêd. Mi laddwyd dy dad, er iddo fo gael 'i rybuddio gan freuddwyd rhag mynd i'r chwarel; yr oedd dy dad yn ffit arwr i sefyll gyda'r seintia mwya ...

IFAN. Tewch, tewch, fedra' i mo'ch gwrando chi; rydw i wedi gneud 'y meddwl i fyny.

TOMOS. Do, mi fu farw ym mloda 'i ddyddia – rydw i'n cofio mynd i nôl o, a dŵad â fo i lawr ar elor o'r chwarel, a thitha'n hogyn bach yn rhythu ar ben y drws ac yn methu sylweddoli beth oedd yn bod. Wyt ti wedi sylweddoli erbyn hyn?

IFAN (*yn cerdded o gwmpas*). F'ewyrth, tasech chitha'n deall ac yn sylweddoli'r cwbwl, fasech chi ddim mor greulon wrtha i. Wyddoch chi ddim 'y mod i'n gorfod crafu a chynilo, ac ymwadu oddi wrth bopeth i dreio byw yn Llundain yma yn agos i fy safle – a dyna'r plant i'w haddysgu.

TOMOS. Ie, dyna'r plant – dyna ddeudodd dy dad y bora hwnnw pan aeth o i'r chwarel. Dyden ni wedi sôn fawr am y peth hyd yn hyn rhag dy boeni. – Ond wyddost ti pam yr aeth o i'r chwarel y bore hwnnw?

IFAN. Wel, gwn.

TOMOS. Ie, roedden ni yn dau wedi penderfynu peidio mynd. Roeddet ti'n hogyn bach yn y siambar yn yr hen dŷ, – yn pesychu yn dy wely – ac mi glywodd dy dad ti.

IFAN. F'ewyrth – rydw i'n deud wrthoch chi fod y peth wedi ei wneud – does dim dadwneud arno fo. *(Yn taro'r bwrdd.)* Dyna'r gair ola, ac os ydech chi yn mynd i siarad ymhellach rydw i'n mynd allan.

(Yn symud at y drws. Drws yn agor a llais y forwyn yn galw enw Syr HENRY FAWCETT-EDWARDS. Y Prif Weinidog yn dyfod i mewn. Dyn tal main, a wyneb ganddo na allai'r un dewin yn y byd ei ddarllen. Ond gallai dyn craff ddyfalu llawer – er enghraifft, ei fod wedi gweled gormod, ac wedi deall rhy ychydig – a'i fod wedi blino ar yr unig beth yr oedd yn ei ddeall, sef y byd.)

IFAN *(wrth TOMOS)*. Y Prif Weinidog! *(TOMOS yn rhuthro i afael yn ei fag a'i het ac yn rhedeg drwy'r drws.)*

Syr HENRY. Sut yr ydech chi, Mrs. Morris? Wel, Morris?

Mrs. MORRIS. Eisteddwch i lawr, Syr Henry.

Syr HENRY. Mae arna i ofn fy mod i wedi torri ar eich cyngor yma. Dau funud fydda' i – dim ond i glywed ych ateb chi.

IFAN. Wel, rydw i wedi cael f'ysgwyd dipyn. Roeddwn i'r bore yma wedi penderfynu rhoi'r bil i fyny, a derbyn ych cynnig, ond heno, – wel, wn i ddim wir.

Syr HENRY. Wel, wrth gwrs, does gen i ddim amser i grefu. Chewch chi ddim siawns eto i ddyfod i'r Cabinet, mi ellwch gymryd fy ngair i yn derfynol ar hynny.

IFAN *(yn codi)*. Wel, syr, y mae un atgo bach yn 'y nghadw i rhag addo ar unwaith, a phe basa'r hen ŵr yna sy newydd fynd allan wedi aros munud yn hwy i orffen 'i stori, hwyrach mai ych gwrthod chi y buaswn i. Ond ... *(yn eistedd yn sydyn yn ei gadair)* ... rydw i'n derbyn ych cynnig chi.

Syr HENRY. Da iawn. Rydech chi'n gwneuthur yn gall. Wrth gwrs, wn i ddim pa reswm sentimental oedd yn ych atal chi, – ond coeliwch chi fi, os ydech chi am lwyddo mewn gwleidyddiaeth, rhaid i chi ddysgu gwneuthur heb lawer o *luxuries*, – atgofion mebyd a phethau felly.

Mrs. MORRIS. Rhaid, mae'n amlwg.

Syr HENRY. Wel, esgusodwch fi, rydw i'n brysur iawn heno. Gadewch imi'ch llongyfarch chi, Morris, ar ych penodiad i'r Cabinet – 'Dyrchafiad arall i Gymro!' yntê? Ac yn awr, rydw i'n ddigon parod i gyfadde wrthoch chi y base'ch bil chi wedi rhwygo'r blaid yn ddeuddarn pe buasech chi wedi para i wthio fo. Nos da, Mrs. Morris. *(Yn troi at y drws. Llais y forwyn. Mrs. Morris yn mynd at y drws, ac yn dyfod yn ôl a pharsel yn ei llaw.)*

Mrs. MORRIS. Mae'ch ewyrth, Ifan, wedi mynd i rywle a'i bethau hefog o – ond wedi gadael hwn i Jane, ac yn gofyn i chi agor o cyn i Syr Henry fynd.

Syr HENRY. O, diddorol iawn! Bom, tybed? Ynte atgofion mebyd wedi eu pacio yn hwylus er mwyn cael gwared ohonyn nhw ar drothwy'r bywyd newydd?

(Ifan mewn distawrwydd yn agor y papur ac yn codi i fyny bâr o esgidiau plentyn, a hosanau – ei esgidiau a'i hosanau ei hunan – a

welsom yn Act 1.)

IFAN *(yn rhoi 'i law ar ei wyneb ac yn wylo'n chwerw).* Syr Henry, rydech chi'n iawn – mae fy mebyd i wedi dyfod yn ôl, ond bu bron iddo ddyfod yn rhy hwyr. Welwch chi'r esgidiau a'r hosanau yma? Mae'r rhain wedi eu prynu â gwaed, a fedra' i mo'u gwerthu nhw er mwyn lle yn y Cabinet. (*Yn agor y drws.*) Nos da, Syr Henry. Y mae'r bil i fynd ymlaen, pa bawn i'n rhwygo'ch pleidiau pydron chi bob un, a phob Cabinet yn Ewrop yn mynd i golledigaeth. (*Yn cau y drws.*) (*Wrth Mrs Morris.*) Dyna 'Ddyrchafiad arall i Gymro', yntê?

LLEN.

Llyfryddiaeth

I. DRAMÂU gan W. J. GRUFFYDD

Beddau'r Proffwydi. Drama mewn pedair act (Caerdydd, 1913). Ad. 'Alban', *Y Brython*, 20 Mawrth 1913, t. 5; Dienw, *Tarian y Gweithiwr*, 20 Mawrth 1912, t. 1; T. Gwynn Jones, *Y Beirniad* III (1913), t. 134.

Dyrchafiad Arall i Gymro. Drama mewn dwy act (Caerdydd, 1914).

'Dros y Dŵr', *Y Llwyfan*, Cyf. I, Rhif 7 (Rhagfyr 1928 a Ionawr 1929), t. 107.

'John Elwyn yn y Blac Owt', *Y Llenor* XVIII (1939), t. 143.

'Y Brenin Llŷr', darlledwyd ar Raglen Cymru'r BBC, 1949.

Antigone Sophocles [:] Troswyd o Roeg (Caerdydd, 1950).

II. RHAI GWEITHIAU ERAILL gan W. J. GRUFFYDD

Caneuon a Cherddi (Bangor, 1906).

Ynys yr Hud a Chaneuon Eraill (Caerdydd, 1923).

Hen Atgofion (Aberystwyth, 1936).

Owen Morgan Edwards [:] Cofiant. Cyfrol I. 1858-1883 (Aberystwyth, 1937).

Y Tro Olaf ac Ysgrifau Eraill (Y Clwb Llyfrau Cymreig, 1939).

'Drama i Gymru', *Y Beirniad* I (1911), t. 49.

Adolygiad ar *Glyndwr Tywysog Cymru*, Beriah Gwynfe Evans, *Y Beirniad* I (1911), t. 214.

'Gwrthryfel ac Adwaith', *Y Llenor* I (1922), t. 191.

'Y Proffwyd', *Y Llenor* II (1923), t. 139.

'Atebiad y Golygydd i Mr. Saunders Lewis', *Y Llenor* VI (1927), t. 78.

'Syniadau Lleygwr am Natur Eglwys', *Y Llenor* VII (1928), t.137.

T. Robin Chapman, gol., *Nodiadau'r Golygydd W. J. Gruffydd [:] detholiad o nodiadau golygyddol 'Y Llenor'* (Llandybie, 1986).

Bobi Jones, gol., *Yr Hen Ganrif [:] Beirniadaeth Lenyddol W. J. Gruffydd* (Caerdydd, 1991).

III. RHAI YMDRINIAETHAU

Y Llenor. Cyfrol Goffa William John Gruffydd, gol. T. J. Morgan (Caerdydd, 1955). Yn arbennig: Henry Lewis, 'Coleg Caerdydd a'r Brifysgol', t. 14; Rhys Hopkin Morris, 'Gwleidyddiaeth', t. 65; T. J. Morgan, 'Rhai o'i Syniadau', t. 72..

Tir Newydd 13 (Mai1938). Rhifyn Arbennig W. J. Gruffydd.

Geraint Bowen, gol., *Bro a Bywyd W. J. Gruffydd* (Barddas, 1994).

T. Robin Chapman, *W. J. Gruffydd* (Dawn Dweud) (Caerdydd, 1993).

E. E., 'Some Recent Welsh Plays', *The Welsh Outlook* I (1914), t. 29.

William R. Lewis, '*Beddau'r Proffwydi* W. J. Gruffydd', *Llên Cymru* 30 (2007), t. 178.

D. Tecwyn Lloyd, 'W. J. Gruffydd: Beirniad Diwylliant a Golygydd', *Llên Cyni a Rhyfel a Thrafodion Eraill* (Llandysul, 1987), t. 103.

Alun Llywelyn-Williams, 'W. J. Grufydd', *Gwŷr Llên*, gol. Aneirin Talfan Davies (Llundain, 1948).

T. J. Morgan, *W. J. Gruffydd* (Writers of Wales) (Caerdydd, 1970).

Bryn Rowlands, 'Cyfodi Proffwydi'r Tadau', *Barn* 227-28 (Nadolig 1981), t. 465.

IV. CYFFREDINOL

Hywel Teifi Edwards, *Wythnos yn Hanes y Ddrama yng Nghymru (11-16 Mai 1914)* (Bangor, 1984); hefyd yn y gyfrol *Codi'r Hen Wlad yn ei Hôl* (Llandysul, 1989), t. 285.

idem, *Lle Grand am Ddrama [:] Abertawe a'r Ŵyl Ddrama Gymraeg 1919-1989* (Llundain, 1989).

idem, *Codi'r Llen* (Llandysul, 1998).

Elsbeth Evans, *Y Ddrama yng Nghymru* (Lerpwl, 1947).

J. O. Francis, 'The Deacon and the Dramatist', *The Welsh Outlook* VI (1919), t. 158.

W. J. Griffith, 'Antur y Ddrama', *Storïau'r Henllys Fawr* (Aberystwyth, 1938), t. 50.

Olive Ely Hart, *The Drama in Modern Wales* (Philadelphia, 1928).

Dafydd Glyn Jones, 'Saunders Lewis a Thraddodiad y Ddrama Gymraeg', *Llwyfan* 9 (Gaeaf 1973), t. 1.

idem, 'Y Ddrama Ryddiaith', *Y Traddodiad Rhyddiaith yn yr Ugeinfed Ganrif*, gol. Geraint Bowen (Llandysul, 1976), t. 211.

idem, 'Hen Ddramâu, Hen Lwyfannau', *Llwyfannau Lleol*, gol. Hazel Walford Davies (Llandysul, 2000), t. 9.

idem, 'Pwy Oedd yr Hen Ddramodwyr?', *Y Casglwr* 94 (Gaeaf 2008), t. 12, a 95 (Gwanwyn 2009), t. 12.

R. M. (Bobi) Jones, 'Y Ddrama', *Llenyddiaeth Gymraeg 1902-1936* (Barddas, 1987), t. 525.

Saunders Lewis, 'The New Revivalists: a note on the drama', *Cambria Daily Leader*, 2 Hydref 1919.

idem, 'The Present Stage of Welsh Drama', *The Welsh Outlook* VI (1919), t. 302.

idem, 'Welsh Drama and Folk Drama', *The Welsh Outlook* VII (1920), t. 167.

D. Tecwyn Lloyd, 'Gwir Gychwyn y Busnes Drama 'ma', *Llwyfan* 8 (Gwanwyn-Haf 1973), t. 5.

idem, 'Daniel Owen ar y Llwyfan, 1909-1937', *Llên Cymru* 10 (1968), t. 59.

T. J. Morgan, 'R. G. Berry', *Ysgrifau Beirniadol* I , gol. J. E. Caerwyn Williams (Dinbych, 1965), t. 9.

idem, 'Dechrau'r Ganrif', *Ysgrifau Beirniadol* IV, gol. J. E. Caerwyn Williams (Dinbych, 1969), t. 116.

O. Llew Owain, *Hanes y Ddrama yng Nghymru 1850-1943* (Lerpwl, 1948).

J. Dyfnallt Owen, 'Mudiad y Ddrama yng Nghymru', *Y Llwyfan* Cyf. I, Rhif 3 (Ebrill a Mai 1928), t. 29; 'Camre'r Ddrama yng Nghymru', *Y Llwyfan* Cyf. I, Rhif 4 (Mehefin a Gorffennaf 1928), t. 53.

Kate Roberts, *Laura Jones* (Aberystwyth, 1930), tt. 75-7.

Ioan Williams, 'Daniel Owen a "Gwir Gychwyn" y Mudiad Drama', *Llên Cymru* 28 (2005), t. 138.

idem, *Y Mudiad Drama yng Nghymru 1880-1940* (Caerdydd, 2006).

idem, 'Ideoleg ac Estheteg yn y Mudiad Drama', Gwerddon [:] Cyfnodolyn Ymchwil y Coleg Cymraeg, rhifyn 2 (Hydref 2007) (ar-lein).

T. J. Williams, *Hanes y Ddrama Gymreig (Bangor, ? 1915).*

Dyma a ddywedwyd am y gyfres:

'Arwydd o genedl sy'n falch o'i thraddodiad llenyddol yw ei pharodrwydd i gadw testunau a fu'n gerrig milltir pwysig yn y traddodiad hwnnw mewn print. Cyfres sy'n amcanu i wneud hynny yw Cyfrolau Cenedl o wasg Dalen Newydd. ... Bydd hon yn gyfres bwysig.' – *Llafar Gwlad.*

'Nid anelu at gyhoeddi gweithiau "poblogaidd" a wneir ... , ond dwyn i olau dydd weithiau a aeth yn anodd iawn cael gafael arnynt. Dylai pob myfyriwr Cymraeg gwerth ei halen gael yr holl gyfrolau ar ei silff. ... Gwaith diddiolch – a dielw, yn sicr – yw cynnal gwasg academaidd yn yr hinsawdd sydd ohoni, ond rhaid dweud bod cyfrolau Dalen Newydd yn plesio'r deall a'r llygad fel ei gilydd.' – *Gwales.*

'Golygiad newydd yw pob un, o destun a aeth yn brin drybeilig ac a ddylai fod ar astell lyfrau pawb diwylliedig. ... Dyma gyhoeddwr sy'n cyrraedd mannau lle nad aiff eraill.' – *Y Casglwr.*

'Ond mae Dafydd Glyn Jones yn ymdrechu i sicrhau nad yw gweithiau meistri (ac eraill) yr oes a fu yn diflannu o ymwybyddiaeth y genedl, trwy ofalu eu bod ar glawr ac ar gael. Does ond gobeithio y bydd technoleg yn hwyluso ac yn ehangu'r gwaith hwn: mae ar bob cenedl angen corff o lenyddiaeth, yn ffaith a ffuglen, i gyfeirio ato fel rhywbeth sydd yn perthyn i'r genedl honno, ac yn ei diffinio.' – *Taliesin.*

Am *Canu Twm o'r Nant*:

'Bellach dyma ddetholiad o ganeuon, areithiau ac ambell ddeialog o'r anterliwtiau a phrif waith barddonol Twm o'r Nant yn cael ei gyflwyno i ganrif newydd, gyda nodiadau manwl, geirfa a rhagymadrodd gwerthfawr.' – *Llafar Gwlad.*

'Mae Dafydd Glyn Jones wedi dethol yn ofalus o waith Twm o'r Nant – ei gerddi a'i anterliwtiau, ac mae'n ffynhonnell hollbwysig i unrhyw un yn astudio hanes neu lenyddiaeth Cymru.' – *Y Faner Newydd.*

'Dyma ddetholiad diddorol a chytbwys, wedi ei osod yn drefnus gymen. ... Cyflwynwyd rhagymadrodd eglur, hawdd ei dreulio, wedi ei rannu'n adrannau hylaw, ac sy'n trafod gwahanol agweddau ar y bardd a'i gyfnod. At hynny, cyflwynwyd nodiadau byr a pherthnasol ar ambell bwynt o dywyllwch yn y cerddi, a geirfa dra defnyddiol sy'n esbonio ystyr ambell air diarffordd. Nid oes esgus dros ddiystyru cerddi'r Bardd o'r Nant ragor.' – *Gwales.*

'Cyfrol sy'n werth ei chael ac sy'n rhoi golwg o'r newydd ar weithiau ffraeth un o gymeriadau mawr ein cenedl.' – *Fferm a Thyddyn.*

'Dyma fenter, i'w chanmol yn fawr, gan ysgolhaig ar ei liwt ei hun. Ni fu casgliad mawr o waith yr hen Dwm ar gael ers 1889. Detholiad yw hwn o ryw bedwar ugain cerdd, o'r pum cant a adawodd, a cheir arolwg, geirfa a nodiadau tra gwerthfawr. Addewir y bydd y gyfres yn dwyn i olau dydd weithiau clasurol na buont ar gael ers hydoedd.' – *Y Casglwr.*

'[Y] mae dewis cyflwyno gwaith baledwr ac anterliwtiwr fel hyn yn awgrymu y bydd y gyfres yn herio ein rhagdybiaethau ac yn ein gorfodi i ailgloriannu statws a chyfraniad rhai o feirdd ac awduron y gorffennol.' – *Llên Cymru.*

'Cymwynas fawr Dafydd Glyn Jones yw gadael i ddarllenwyr cyfoes ddod i adnabod Twm a gwerthfawrogi ei ddawn arbennig drostynt eu hunain. Cawn yn y gyfrol bwysig hon gywyddau, penillion mydryddol o'r anterliwtiau a cherddi rhydd cynganeddol. ... Mae cerddi'r gyfrol hon yn ddadlennol a grymus, ac mae eu hieithwedd yn syndod o ddarllenadwy a dealladwy. O ddiosg argraff ddieithr y ddeunawfed ganrif, gall darllenwyr yr unfed ganrif ar hugain eu dilyn yn rhwydd, a phan fo'r ystyr neu'r gyfeiriadaeth yn anghyfarwydd ceir esboniad yn y nodiadau a'r eirfa i'n goleuo.' – *Y Traethodydd.*

Am *Dwy Anterliwt*:

'Dadleua'r golygydd, Adrian C. Roberts, ei bod hi'n werth darllen anterliwtiau pe bai ond er mwyn gwerthfawrogi iaith lafar rywiog y cyfnod – a gwneir hynny bellach heb sensoriaeth ffug-barchus yn enw glendid Cymru fach. Mae'r testunau hyn wedi'u golygu ar sail yr argraffiadau gwreiddiol, ... gan gynnwys rhagymadrodd diddorol a nodiadau hynod o werthfawr.' – *Llafar Gwlad.*

Am *Prydnawngwaith y Cymry*:

'Mae'r testun wedi'i benodi'n daclus yn ôl enwau gwahanol dywysogion yn ôl trefn amser, ac yn seiliedig ar y Brut. I'r rhai sy'n credu eu bod wedi darllen digon o lyfrau am yr oes honno, tybed faint o straeon fedran nhw eu hadrodd am Idwal Foel, Cadwallon ap Ieuaf a Llywelyn ap Sitsyllt?

Yn ogystal â hanes y tywysogion cynhwysir ysgrifau a cherddi yn y gyfrol – ysgrifau ar gymeriadau tylwyth teg a llên gwerin y misoedd, a cherddi baledol yn bennaf.' – *Llafar Gwlad.*

'I'r rhai hynny sy'n darllen y Rhagymadrodd i'r gyfrol ac yn gweld y golygydd yn olrhain tras Prydnawngwaith y Cymry yn ôl i Frut y Tywysogion, mae yma gyfoeth.' – *Taliesin.*

Am *Breuddwyd Pabydd wrth ei Ewyllys*:

'Mae ailddarllen gwaith Emrys ap Iwan yn chwa o awel iach hyd yn oed heddiw ac, yn naturiol, gan iddo osod ei 'Freuddwyd' yn y flwyddyn 2012, mae'n ddifyr chwilio yma a thraw i weld pa mor wir fu ei broffwydoliaethau. Ac y maent yma, yn gyrru ias i lawr cefn rhywun.' – *Taliesin*.

'Gyda'r gyfrol hon, gan mlynedd union bron ar ôl cofiant Gwynn Jones, dyma ailblannu ac ailddefnyddio Emrys o'r newydd. ... A rhoi'r peth ar ei fwyaf rhyddieithol, dyma lyfr arall ar y silff lle na buasai bwlch yn bod mewn diwydiant cyhoeddi llai cyntefig.' – *Llên Cymru*.

'Os, felly, y'ch temtir i beidio estyn at y gyfrol hon, gan gredu mai llyfr sychlyd Fictoraidd gan weinidog ydyw – meddyliwch eto. Oherwydd dyma gyfrol a rydd wên ar eich wyneb ac a wna i chi feddwl eto ynglŷn â sut y daethom i'r Gymru sydd ohoni heddiw.' – *Gwales*.

Am *Beirniadaeth John Morris-Jones*:

'Lawn cyn ddifyrred â gwaith John Morris-Jones ei hun yw rhagymadrodd meistraidd y golygydd.' – *Gwales*.

'Mae'r gyfrol ardderchog hon yn dadlennu gwir syniadau a gwir safbwyntiau John Morris-Jones yn ddiamwys glir o'n blaenau, ac mae hynny'n gymwynas.' – *Barn*.

Am *Rhywbeth yn Trwblo*:

'Wn i am ddim byd cystal â stori ysbryd dda i danio'r hen iasau a'r ofnau cyntefig. ... Mae yn y casgliad hwn straeon byrion gan nifer o lenorion amlycaf ac enwocaf ein gwlad, rhai'n glyfar a chrefftus dros ben. ... A Chalan Gaeaf yn nesu, dyma anrheg addas i'w rhoi i gyfaill neu gyfeilles ofergoelus, neu i unrhyw un sy'n mwynhau stori dda o flaen y tân ar noson aeafol, stormus.' – *Gwales*.

'Dros G'langaeaf a'r Nadolig, swatiwch wrth y tân, pylwch y goleuadau a darllenwch un o'r rhain cyn mynd i fyny'r grisiau i'r tywyllwch.' – *Y Casglwr*.

'Roedd yn hen bryd i gyfrol fel hon ymddangos. Clod i'r bugail Jones am gorlannu'r straeon, a hefyd am eu gosod yn ôl trefn eu cyhoeddi fel ein bod yn cael darlun o hanes a datblygiad y stori ysbryd Gymraeg. ... Diolch i Dafydd Glyn Jones am baratoi cyfrol mor ddifyr ar ein cyfer, a gobeithio y bydd o'n mentro eto i'r maes hwn yn fuan iawn.' – *Barn*.

'Tybiaf fod mwy i'r gyfrol hon nag ychydig o hwyl yn unig. Y mae hi'n llenwi bwlch yn hanes llenyddiaeth Gymraeg yn sicr, ac yn fan cychwyn gref i unrhyw un sydd â diddordeb yn y stori ysbryd Gymraeg.' – *Tu Chwith.*

I ddilyn yn y gyfres:

Llythyrau Goronwy Owen. Y golygiad cyntaf oddi ar gasgliad J. H. Davies, 1924, sydd bellach yn llyfr eithriadol brin.

Cerddi Goronwy Owen. Y casgliad cyflawn cyntaf oddi ar 1911!

Beirniadaeth W. J. Gruffydd. Barn y gŵr o Fethel ar lenyddiaeth, byd a betws.

Taith y Pererin. Mawr ei fri a'i ddylanwad yn ei ddydd. Gadewch inni ei weld!

Cerddi Morgan Llwyd. Y casgliad cyntaf erioed mewn un gyfrol.

Drych y Prif Oesoedd. Golygiad newydd – y cyntaf oddi ar 1902! – o argraffiad 1740 yn gyfan.

Daniel Owen: Y Dreflan. Pob beirniad yn ei thrafod, ond neb yn ei gweld!

Llythyrau Tywysogion Cymru. Dogfennau hanfodol hanes Cymru'r Oesau Canol, mewn cyfieithiadau Cymraeg ysgolheigaidd.

Brut y Tywysogion. Diweddariad yn iaith heddiw o brif ffynhonnell Gymraeg hanes Cymru'r Oesau Canol.

Sieffre o Fynwy: Brut y Brenhinedd. Yr hen glasur celwyddog, camarweiniol mewn Cymraeg modern.

Gildas: Coll Prydain. Trosiad newydd o 'lyfr blin' ein hanesydd cyntaf!

Nennius: Hanes y Brytaniaid. Ffynhonnell cymaint o hanes a chwedl. Trosiad Cymraeg newydd.

... A llawer rhagor
– yn cynnwys ambell syndod!

DN
DALEN NEWYDD